D0835448

Piet in de finale

Corien Oranje
Piet in de finale

Callenbach

Eerder verschenen:
Paard bij de dokter

© 2007, Uitgeverij Callenbach – Kampen
Postbus 5018, 8260 GA Kampen
www.kok.nl

Omslagillustratie Ivan en Ilia
Omslagontwerp Hendriks.net
Illustraties binnenwerk Ivan en Ilia
Layout/dtp Gerard de Groot
ISBN 978 90 266 1439 2
NUR 282/283
AVI 4/5
Leeftijd 6-9

Inhoud

1. Advertentie 7
2. Soepel en lenig 10
3. Sinterklaasjournaal 14
4. Het lijkt de peerdenmarkt ja wel 18
5. Lig ik soms in een mesthoop? 21
6. Ik ben een grote kindervriend 24
7. Ik ben een vriend van Sinterklaas 27
8. BONK 30
9. We hebben al genoeg klunzen 33
10. Je mag door naar de volgende ronde 37
11. Ben je in de mesthoop gevallen? 41
12. Is er iets mis met zwart? 45
13. Ik zei nog zo: houd uw mond dicht 49
14. Brillieboy 53
15. Inspectie 57
16. Zeurpiet 60
17. Natuurtalent 64
18. Problemen 68
19. Dringende omstandigheden 72
20. Daklopen 75
21. Niks gebroken? 80
22. Monsters zijn het 84
23. Zijn hier nog stoute kinderen? 89
24. De finale 94
25. Kinderarbeid 99
26. Intocht 104

1. Advertentie

'Een Pietenverkiezing?' Bram knippert met zijn ogen. Maar hij leest het goed. Het staat met grote letters in de krant. Over de hele achterpagina.

Pietenverkiezing

Gezocht: Pieten (zwart/wit)
Bent u 16 jaar of ouder?
Bent u lenig en soepel?
Kunt u goed klimmen en springen?
Houdt u van kinderen?
Bent u zwart? Of bent u bereid het te worden?

Doe dan mee aan de Pietenverkiezing.

De jury bestaat uit:
Maestro Pedro (training nieuwe Pieten)
Jelle Woudstra (klimspecialist)
Kwieke Mieke (oud gymjuf)

Doe NIET mee:
– als u bang bent in het donker
– als u 's nachts liever slaapt

Beloning:
Ieder jaar 10 maanden vakantie in Spanje

Eerste ronde: zaterdag 3 november
in Bejaarden Sportpaleis Zuidlaren

Bram kijkt om zich heen. Mama is nergens te zien. Die
ligt nog te slapen natuurlijk. En papa is aan het melken.
Ze hebben de krant nog niet gelezen. Mooi.
Snel scheurt Bram de achterpagina eraf. Dan vouwt hij de
krant weer dicht. Hij legt hem terug op de mat. En hij
rent naar boven. Naar de slaapkamer van zijn zus Nina.
Zachtjes sluipt hij naar binnen.
'Nina,' zegt hij.
Nina draait zich op haar andere zij.
'Nina!'
Nina smakt een paar keer.
Bram duwt haar tegen haar schouder.
'Nina. Word nou wakker.'
Nina schiet overeind. Haar ogen zitten nog half dicht.
'Wat?' zegt ze slaperig.
'Wat is er?'
'Kijk!' Bram legt het stuk krant op bed.
Nina laat zich weer terugvallen. 'De krant?

Moet je me daarvoor wakker
maken?
Ik ga echt geen krant
lezen.'
'Kijk nou. Dit is een
advertentie.
Sinterklaas heeft
Pieten nodig.'
'Wat?'
'Ik ga meedoen.'
Nina hijst zichzelf
overeind.

'Ik heb geen idee waar je het over hebt.'
Bram zucht. Zijn zus is niet de slimste.
'Over Sinterklaas.
Hij heeft nieuwe Pieten nodig.
En hij gaat een Pietenverkiezing houden.
Ik ga meedoen.'
'Doe niet zo raar,' zegt Nina.
'Je bent helemaal geen Piet.'

2. Soepel en lenig

'Wat maakt dat nou uit?' zegt Bram.
'Wat maakt het uit dat ik geen Piet ben?
Ik kan toch Piet *worden*?'
Nina schudt haar hoofd.
'Kíjk nou naar jezelf, man,' zegt ze.
'Pieten zijn zwart. Jij bent wit.
Je bent zo wit als – als tandpasta.
Zo wit als een ijsbeer.
Zo wit als een sneeuwpop.'
Bram kijkt naar zijn armen. Een beetje bleek zijn ze wel.
Maar zo wit als tandpasta? Als een ijsbeer? Als een
sneeuwpop?
'Echt niet. Ik líjk er niet op.
En trouwens, je hoeft helemaal niet zwart te zijn.
Als je het maar wilt worden.
Kijk maar. Hier staat het.
Bent u zwart? Of bent u bereid het te worden?
'Dus jij wilt wel zwart worden?' vraagt Nina.
'Ik wíl!,' knikt Bram.
'Wat maakt het mij nou uit wat voor kleur ik heb.
Als ik maar Piet kan worden.
Gaaf man.
Mag je lekker met de stoomboot.
En meedoen met de intocht.
Cool. Al die mensen die naar je komen kijken!
En je mag allemaal leuke dingen doen.
Pepernoten strooien.

Verlanglijstjes verzamelen.

Beetje over de daken klimmen.

's Avonds altijd laat naar bed.

Want je moet eerst cadeautjes rondbrengen, natuurlijk.

En het grootste deel van het jaar heb je vakantie.

In Spanje.'

'Wát?

Geef hier die krant!'

Nina begint te lezen. Dan kijkt ze op.

'Hé. Heb je dat gezien?

Je moet wél van kinderen houden.'

Bram haalt zijn schouders op.

'Nou en? Ik houd van kinderen.

Ik ben zelf een kind.'

'Je moet soepel en lenig zijn...'

'Ben ik. Kijk maar.'

Bram maakt een koprol over het bed. Met een bons komt hij op de grond terecht. Hij stoot zijn hoofd tegen de bedrand.

Au. Dat wordt een flinke bult.

Nina grinnikt. 'En je moet kunnen klimmen en springen.'

'Geen probleem.'

Bram klimt op Nina's bed. Met een reuzenstap is hij op haar bureau.

Nu een sprong naar de bureaustoel. Oei. Die begint te draaien. De kamer suist langs. Maar Bram blijft staan. Eén keer, twee keer, drie keer.

Dan verliest hij zijn evenwicht. Hij pakt het eerste wat hij ziet. De lamp die aan het plafond hangt. Help! Hij

zwaait door de kamer. Hij moet springen.
Te laat. De lamp laat los. En Bram valt op de grond.
BOINK. Au. Nog een blauwe plek.
Nina snuift. 'Tjonge.

Dat gaat geweldig, zie ik.
Je lijkt Tarzan wel.'
Bram krabbelt overeind. Hij wrijft over zijn heup.
'Ik heb nog tijd om te oefenen.
Het is pas over een week.'
'Ja. Maar dan heb je nog steeds een probleem.
Je bent nog geen zestien!
Of heb je dat niet gezien?
Dat je zestien moet zijn?'
'Eh...' Bram denkt even na.
'Ja, ik heb het wel gezien.
Maar dat vind ik oneerlijk.
Dat is voortrekken.
Het maakt toch niet uit hoe oud je bent?'
'Dat maakt heel veel uit!' roept Nina.
'Kinderen kunnen toch niet op daken gaan klimmen?'
'Waarom niet?' zegt Bram.
'Ik klim vaak genoeg op de hooiberg.'
Nina snuift weer. 'En je valt er ook vaak genoeg weer
af.'
'Vroeger. Nu bijna nooit meer.'
'Sinterklaas vindt het nooit goed.'
Bram wuift met zijn hand.
'Sinterklaas hoeft het helemaal niet te weten.
Die heeft het veel te druk voor dat soort dingen.
Als het werk maar gebeurt.'
'Dus je gaat je opgeven?' zegt Nina.
'Ikke wel,' zegt Bram.
'Zeker weten.'

3. Sinterklaasjournaal

'Bram, kom snel!' klinkt de stem van Nina.

'Sinterklaasjournaal!'

'Wat?' Bram rent de trap af.

'Nu al? Sinterklaas is toch nog niet aangekomen?'

'Sst. Stil nou.

Ik wil het horen.'

'Ja, jongens en meisjes,' zegt een dame met zwart krullend haar. Ze kijkt vrolijk in de camera.

'We zijn dit jaar vroeger dan anders.

Sint Nicolaas is nog niet eens in het land.

Maar er is iets bijzonders aan de hand.

We hebben nu verbinding met Spanje.

Goedemiddag, Sint Nicolaas. Bent u daar?'

Het beeld springt over naar Sinterklaas. Die zit achter een bureau. Hij draagt een grijze trui en een rode pet.

'Goedemiddag, Dieuwertje. Ja, daar ben ik.'

'Sint Nicolaas. Is het waar?'

'Wat bedoel je, Dieuwertje?'

'Is het waar dat u nieuwe Pieten zoekt?

Dat er een Pietenverkiezing komt?'

Ineens komt het hoofd van Piet in beeld. Hij steekt zijn duim op. 'Helemaal waar!

Helemaal waar, Dieuwertje!

We hebben nieuwe Pieten nodig!'

Sinterklaas steekt zijn hand op. 'Piet, mag ik even?

Ik denk dat ik dit zelf wel kan.'

'Het is door Amerigo,' roept Piet nog snel.

'Hij mag niet meer springen.'
Sint schudt zijn hoofd. Maar zijn ogen lachen.
'Het is waar, Dieuwertje.
Amerigo is aan zijn knieën geopereerd.'
'Is het werkelijk?' zegt Dieuwertje verbaasd.
'Ja zeker.'
'Daar wisten wij niets van.'
Sinterklaas knikt. 'Dat klopt.
Het was een geheime operatie.'
'Aha,' zegt Dieuwertje.
'Maar Sinterklaas, wat alle kinderen natuurlijk willen
weten:
Hoe is het nu met Amerigo?'
'Heel goed,' mompelt Bram. Hij kijkt naar Nina.
Die glimlacht naar hem. Zij hebben ervoor gezorgd dat
Amerigo geopereerd werd.*
'Het gaat goed,' zegt Sinterklaas. 'Heel goed.
Hij heeft geen pijn meer.
Hij kan weer gewoon lopen.
En hij komt straks mee naar Nederland.
Maar de daken op, dat gaat niet meer.
Zijn knieën kunnen het niet meer aan.'
'Neemt u me niet kwalijk,' zegt Dieuwertje.
'Ik hoop niet dat u me brutaal vindt.
Maar is het niet eens tijd voor een nieuw paard?'
Sinterklaas trekt een streng gezicht.
'Omdat hij de daken niet meer op kan?
Absoluut niet, Dieuwertje.

* *Zie: 'Paard bij de dokter'*

Absoluut niet.

Hoe denkt u dat Amerigo dat zou vinden?

Als ik hem zou afdanken? Hoe zou u het vinden?

Als ze ú zouden afdanken?'

'Niet zo leuk natuurlijk,' zegt Dieuwertje.

'Nou dan. Amerigo zou het ook niet leuk vinden.

Hij houdt van werken.

Hij houdt van kinderen.

Hij houdt van alle aandacht die hij krijgt.

Dus hij gaat gewoon met me mee.

Ik heb alleen meer Pieten nodig.

Om de daken op te gaan.

Om de cadeautjes te dragen.

Maar daar gaan we aan werken.'

'U gaat een Pietenverkiezing houden,' zegt Dieuwertje.

'Precies,' knikt Sinterklaas.

'Een Pietenverkiezing.'

'Maar Sint...

Zijn er echt mensen die Piet willen worden?

Ik bedoel, het is een zwaar beroep.

Het is keihard werken.

Dag en nacht.

In de kou, in de wind, in de regen.

Soms zelfs in de sneeuw.

Het kan gevaarlijk zijn. Gladde daken.

Hoge torenflats. Gammele schoorstenen.
Honden die je aan kunnen vliegen.'
Sint Nicolaas glimlacht.
'Ik sta er ook van te kijken, Dieuwertje.
Maar volgens mij wil half Nederland Piet worden.'

Het beeld draait. Op de grond zitten twee Pieten.
Tussen hen in ligt een enorme berg post.
'Moet je zien,' roept Hoofdpiet.
'Meer dan vijfhonderd brieven.
En we hebben duizenden mailtjes gehad.
Allemaal mensen die Piet willen worden.'
'Beste mensen,' zegt Sint Nicolaas dringend. Hij kijkt
ernstig in de camera.
'Stop alsjeblieft met schrijven.
Wilt u een kans maken?
Kom dan naar Zuidlaren.
Daar worden de verkiezingen gehouden.'

4. Het lijkt de peerdenmarkt ja wel

'Stilzitten,' zegt Nina. 'Anders lukt het niet.'
Ze pakt een nieuwe lik schoensmeer. Voorzichtig smeert
ze Brams neus in.
'Niet in mijn neusgaten!' zegt Bram. Hij wrijft over de
onderkant van zijn neus.
'Hé!' roept Nina. 'Niet aan je neus komen!
Zo veeg je alles er weer af.'
'Maar het kriebelt! En het stinkt.'
Nina snuift. 'Ik vind dat je heerlijk ruikt.
Naar vers gepoetste schoenen. Zit stil.
We moeten bijna weg.'
Bram klemt zijn lippen op elkaar. Hij probeert niet meer
te bewegen.

'Zo,' zegt Nina eindelijk. 'Nu mag je kijken.'
Bram staat op. In de spiegel kijkt hij zichzelf aan. Is hij dat
echt? Die donkere jongen met dat zwarte haar?
Het lijkt wel of hij iemand anders is. Hij vóelt zich ook
anders. Hij voelt zich geen Bram meer. Hij voelt zich een
hele Piet. Het kan niet anders. Dit móet gaan lukken. Hij
draait zich om naar Nina.
'Kom op! We gaan.'

Over de stille landweg fietsen ze naar het dorp. Af en toe
komt er een trekker langs. Maar voor de rest is er bijna
geen verkeer. Pas als ze vlak bij het dorp zijn, wordt het

druk. Heel druk. Fietsen, auto's, bussen.

Er is geen parkeerplaats meer te vinden. Zuidlaren is helemaal vol. Een groot weiland wordt als parkeerterrein gebruikt. Van alle kanten komen mensen aanlopen. Sommigen zijn al als Piet verkleed. Anderen hebben een pruik onder de arm. Midden op straat staat een vrouw haar man zwart te schminken.

'Het lijkt de peerdenmarkt ja wel,' bromt een boer.

'Al die auto's. En al dat volk op de been.

En zoveel buutnlanders ook nog.

Is er wat te doen vandaag?'

'Het is de Pietenverkiezing,' zegt een vrouw.

'Pieten wát?' De boer peutert in zijn oor.

'De Pietenverkiezing.

Hebt u het Sinterklaasjournaal niet gezien?

Sinterklaas heeft te weinig Pieten.

Hij is op zoek naar nieuwe.

U kunt ook meedoen.'

'Piet worden?' zegt de boer.

'Nee hoor, dat soort flauwekul doe ik niet aan.'

Hoofdschuddend loopt hij door.

Bram en Nina zetten hun fietsen aan de rand van het dorp. Ze lopen het laatste stukje. Ze zien steeds meer rare dingen.

Een man die op de stoeprand een handstand maakt.

Een blauw geschminkte Piet.

Een dame die via de regenpijp tegen een huis opklimt.

Zo te zien is het niet haar eigen huis. In de tuin staat een hondje boos te keffen.

'Zie je dat?' zegt Nina. 'Gevaarlijk!'

Bram knikt. Hij blijft even staan.

Een oude man komt naar buiten. Hij kijkt omhoog. Naar de dame die aan zijn regenpijp hangt.

Verontwaardigd roept hij: 'Wat moet dat daar? Wat zat u daar door het doucheraampje te gluren? Ik zag u wel!'

'Ik zat niet te gluren!' roept de dame.

Ze zet zich af tegen het raamkozijn. En ze hijst zichzelf nog wat hoger op.

'Kom onmiddellijk naar beneden.'

'Nog een klein stukje,' hijgt de dame.

'Ik ben er bijna.'

'Naar beneden!' schreeuwt de oude man.

'Nu meteen.

Anders bel ik de politie.'

Bram kijkt vol spanning toe. De dame grijpt met een hand naar de dakgoot.

'Laat los!' schreeuwt de oude man.

'Laat mijn dakgoot los.'

'Neeee!' roept Bram verschrikt.

'Niet loslaten!'

De dame probeert haar been over de dakgoot heen te slaan. Maar het lukt niet. Ze heeft geen kracht meer in haar armen. Ze valt weer terug.

Bram ziet haar worstelen. Haar benen bungelen hulpeloos boven de tuin. Haar vingers slippen steeds verder weg.

Bram slaat zijn handen voor zijn ogen.

'Hèèèèèlp!'

5. Lig ik soms in een mesthoop?

Daar ligt ze. Midden in de tuin. In een berg vol dorre bladeren. Een stevige dame in zwarte broek en zwarte trui. Ze heeft rood krulhaar. Haar ogen zijn dicht.
Bram en Nina rennen de tuin in.
'Gaat het, mevrouw?' vraagt Bram.
'Leeft u nog?' informeert Nina.
De dame doet haar ogen open. Ze kreunt.
'Mooi,' zegt Nina.
'Dat is alvast wat.
Kunt u nog bewegen?'
Het hondje komt aanrennen. Hij keft woedend naar de dame. Hoopvol kijkt hij om naar zijn baas.
De oude man komt aanhobbelen. Hij ziet er bleekjes uit. 'Zo had ik het ook niet bedoeld,' mompelt hij.
'Heus niet.
Nee, Henry.
Niet bijten.'
De dame beweegt voorzichtig haar ene arm. En dan haar andere arm.
'Kijk nou,' zegt Nina opgewekt.
'Uw armen doen het nog.
Wat een geluk dat u in die bladeren viel.
En niet in de rozenstruiken.
Hoe zit het met uw benen?'
'Weet ik niet,' kreunt de dame.
'Mag ik slapen?'

Nina draait zich om naar de oude man.

'U moet een ziekenauto bellen,' beveelt ze.

'Nu meteen.

Misschien heeft ze haar rug wel gebroken.

En dan is het uw schuld.'

'Míjn schuld?' protesteert de oude man.

'Ik heb niks gedaan!

Ík klim niet tegen andermans muren omhoog!'

'Ik wou gewoon even oefenen,' mompelt de dame.

'Ik woon in een bungalow.

Ik heb geen verdieping.

En ook geen puntdak.'

De oude man kijkt niet-begrijpend. 'Oefenen? Waarvoor?'

'Voor de Pietenverkiezing,' legt Bram uit.

De oude man schudt zijn hoofd.

'De Pietenverkiezing...

De onzin die ze tegenwoordig verzinnen.

Het is niet te geloven.'

Langzaam loopt hij zijn huis binnen. Henry springt blaf-
fend achter hem aan.

Nina hurkt weer naast de gewonde dame neer.

'Voelt u zich al wat beter?'

De dame schudt haar hoofd. 'Helemaal niet.

Ik voel me vreselijk.

En het stinkt hier ook nog.

Lig ik soms in een mesthoop?'

Moeizaam komt ze overeind. Ze stapt stijfjes van de hoop
met bladeren af.

'Ik ga naar huis,' moppert ze.

'Dat Pietengedoe is niks voor mij.

Veel te gevaarlijk.'

Hinkend gaat ze het hek uit. Op haar rug zit een vieze vlek. Bram trekt een gezicht. Bah. Het lijkt wel hondenpoep. Wat smerig. Wie laat zijn hond nou in de tuin poepen?

Ineens krijgt hij een harde tik tegen zijn achterhoofd.

'Au!'

Hij kijkt omhoog. Wat was dat? Een kastanje? Viel er een kastanje op zijn hoofd?

Nina pakt iets van het gras. Een pepernoot.

Nu ziet Bram het pas. Op de stoep staat een Piet. Een dikke, grote Piet. Hij heeft een witte zak in zijn hand. Lachend steekt hij zijn duim op.

'Goed hè?' roept hij. 'Precies in de roos.'

'Helemaal niet goed,' moppert Bram. Hij wrijft over zijn hoofd.

'Dat doe je toch niet!

Pepernoten tegen iemands hoofd gooien?

En wat was dat voor pepernoot?

Het leek wel een steen.'

'Hij smaakt ook als een steen,' zegt Nina. Ze spuugt de pepernoot uit.

De Piet haalt zijn schouders op.

'Ze zijn nog van vorig jaar.

Ik gebruik ze om te oefenen.'

'Jij moet helemaal geen Piet worden,' zegt Bram.

'Jij moet darter worden.'

6. Ik ben een grote kindervriend

'Moet je dat zien,' zegt Bram. Hij wijst naar een lange rij mensen. Ze staan opgesteld in de Brinkstraat.
'Zou dat allemaal voor de Pietenverkiezing zijn?'
'Het lijkt er wel op,' zegt Nina. Ze kijkt Bram ongerust aan. 'Het zijn er wel érg veel.
Vind je niet?'
Bram knikt. Het Bejaarden Sportpaleis is twee straten verderop. Als hier de rij al begint...
'Kom op,' zegt Nina. Ze grijpt Bram bij zijn hand.
'We gaan achter in de rij staan.'

Bram zucht. Hij wist dat er veel mensen Piet wilden worden. Maar zo veel... Hij maakt vast geen enkele kans.
Moet je al die Pieten zien. De meesten zien er veel echter uit dan hij. En ze hebben allemaal iets ingestudeerd.
Sommigen oefenen een sinterklaasliedje. Met hun mooiste stem.
Anderen staan op hun handen.
Een enkeling maakt een koprol in de lucht.

Vlak voor Bram zit een Piet op een klein viskrukje. Een Piet met een leesbril. En twee oren die wijd uitstaan. Als de rij opschuift, staat de Piet op. Hij zet zijn kruk een stukje naar voren. En hij gaat weer zitten.
Ondertussen leest hij hardop voor uit een dik boek.
Handboek voor Piet staat erop.

'Zorg dat u de roe altijd bij de hand hebt.
Wees niet bang om hem te gebruiken.
Kinderen kunnen vervelend zijn.'

Een vrouwelijke Piet draait zich om.
'Wat is dat voor onzin?' merkt ze op.
'Kinderen slaan?' zegt een ander.
'Dat is verboden!'
De Piet met de bril leest verder. Een rare stem heeft hij.
Hij praat alsof hij een knijper op zijn neus heeft.

'Alleen wie zoet is krijgt lekkers.
Houd voor stoute kinderen zakjes zout bij de hand.'

'Het is een schande!' zegt de vrouwelijke Piet.
'Wat is dat voor ouderwets boek?'

'Als laatste strafmiddel hebt u de zak,' leest de Piet met de
bril.
Gebruik hem wijs.
En alleen bij zware gevallen.
Voor sommige kinderen is een jaartje Spanje heel gezond.'

'Sorry hoor,' zegt iemand.
'Maar dit kan toch niet.'
'Weg met dat boek!' roept
een ander. 'Verbranden!'
De Piet met de bril kijkt
verbaasd op. 'Hoezo?
Dit lijken me prima adviezen.

Ik heb een paar jaar voor de klas gestaan.
Maar ik vond het vreselijk.
Die kinderen van tegenwoordig...
Brutaal.
Ongehoorzaam.
Lui.
Leren willen ze niet.
Luisteren doen ze niet.
Ze willen maar één ding.
Computeren.'
'Wat een onzin!' zegt de vrouwelijke Piet boos.
'Houd u eigenlijk wel van kinderen?' vraagt Nina.
De Piet kijkt haar achterdochtig aan.
'Hoezo?'
'Dat stond in de advertentie,' zegt Bram.
'Dat je van kinderen moet houden.'
'O ja,' zegt de Piet snel.
'Ik houd van kinderen.
Ik ben gek op kinderen.
Zeker. Zeker.
Ik ben een grote kindervriend.
Maar kinderen hebben een goede aanpak nodig.
Een stevige aanpak.
Daar ben ik van overtuigd.
Helemaal nu ik dit boek lees.
Had ik dit maar eerder gelezen.'
'Uit welke tijd komt dat boek eigenlijk?' vraagt iemand.
De Piet met de bril kijkt op bladzij 1.
'Tjonge,' zegt hij dan verbaasd.
'Dit boek is al honderd jaar oud.
En toch zo modern.'

7. Ik ben een vriend van Sinterklaas

Bram voelt het kriebelen in zijn buik. Dit is toch wel erg spannend. De rij schuift al aardig op. Het Bejaarden Sportpaleis is al in zicht.

Er komt een Piet aanfietsen. Vanaf het Sportpaleis. Zijn schouders hangen. Er zitten witte vegen op zijn zwarte gezicht?

'Hoe ging het?' vraagt iemand.

'Gemeen!' roept de huilende Piet.

'Ze zijn gemeen! Vooral die ene.'

'Hij is niet uitgekozen,' mompelt Nina. Ze kijkt Bram schuin aan.

Bram haalt zijn schouders op. 'Ik ben niet bang,' zegt hij stoer.

'Ik ga echt niet huilen hoor.

Denk je soms dat ik ga huilen?'

De rij schuift weer een meter op. Er komen meer Pieten aanlopen vanaf het Sportpaleis. Sommige zijn blij.

'Yes! Ik ben door! Ik mag naar de finale!'

'Ik ga naar Spanje, ik ga naar Spanje!'

Anderen zijn teleurgesteld.

'Stomme jury.'

'Echt oneerlijk zijn ze.'

'Ga maar naar huis.

Het is echt niks.

Je wordt alleen maar uitgelachen.'

De wachtende Pieten worden steeds zenuwachtiger.
Alleen de Piet met het handboek niet. Hij leest onver-
stoorbaar verder.

'Bonk hard op het raam voor u binnenkomt.
Kleine kinderen gaan dan huilen.
Dat is goed.
Zo is meteen duidelijk wie de baas is.'

'Zeg, kun je daarmee ophouden?' vraagt iemand.
'Kun je ook zachtjes lezen?' zegt een ander.
'Die onzin hoeven we niet te horen.'
De Piet stopt zijn vingers in zijn oren. Hij leest gewoon
verder.

'Geef rijkere kinderen grotere cadeaus dan arme kinderen.
Zo is het altijd geweest.
En zo zal het altijd zijn.'

'Nou ja!' zegt Bram verontwaardigd. 'Dat is oneerlijk!'

'Geen wortel in de schoen?
Gooi de schoen dan vol met zout.
Dat is een goede les.'

Nina haalt haar schouders op.
'Niet naar luisteren,' zegt ze zachtjes.
'Die man is gek.'
'Straks wordt hij nog uitgekozen,' fluistert Bram.
'Moeten we Sinterklaas niet waarschuwen?

Stel je voor dat deze man Piet wordt!
Dat kan toch niet?'
Nina schudt haar hoofd.
'Wees maar niet bang.
Hij haalt de eerste ronde niet.'
'Ik hoop het,' zegt Bram.
Ineens stopt de Piet met lezen. Hij draait zich half om.
Bram kijkt in twee felblauwe ogen. Hij schrikt. Het
lijkt wel of deze Piet zijn gedachten kan lezen.
'Zeg. Hoe oud ben jij eigenlijk?
Jij bent wel wat klein voor een Piet, hè?'
Bram maakt zich zo lang mogelijk. 'Ik ben groot
genoeg,' bromt hij met zware stem.
'En hij is een vriend van Sinterklaas,' zegt Nina.
'Ja,' zegt Bram. Hij kijkt de Piet uitdagend aan.
'Ik ben een vriend van Sinterklaas.'

8. BONK

Eindelijk. Bram staat in het Sportpaleis. Er zijn nog twee
Pieten voor hem. Een vrouw. En de man met de bril.
Daarna is hij aan de beurt.
De deur van de sportzaal zwaait open. Bram ziet een lange
tafel. Er zitten drie mensen aan.
'*Volgende*,' klinkt een stem door een microfoon.
De vrouwelijke Piet buitelt naar binnen. Bram ziet nog
net hoe ze een radslag maakt. Een radslag zonder handen.
Bram slikt. Ongerust kijkt hij naar zijn zus.
'Nina. Wat moet ik eigenlijk doen?'
'Doen?' vraagt Nina.
'Ja. Volgens mij dóen ze allemaal wat.
Een liedje.
Of een truc.
Wat moet ík doen?
Ik heb niks ingestudeerd.'
'O nee?' zegt de Piet met de bril. Hij klapt zijn boek
dicht. Hij ziet er tevreden uit.
'Heb jij niks ingestudeerd?
Dacht je soms dat je zómaar Piet kon worden?
Omdat je een vriend van Sinterklaas bent?
Ha! Zo werkt dat niet.'
Nina buigt zich naar hem over.
'Maak je geen zorgen,' fluistert ze.
'Je weet toch waarom Sinterklaas Pieten nodig heeft?
Volgens mij hoef je helemaal geen trucs te doen.
Het gaat er om dat je pakjes wilt bezorgen.

Toch?'

Bram knikt. Dat is zo.

En trouwens... Als hij moet zingen, geen probleem. Hij kent liedjes genoeg.

De klapdeur zwaait open. De zwarte dame komt boos naar buiten gestampt. Ze trekt haar pruik van haar hoofd. Lang, blond haar valt over haar schouder.

'Stomme jury,' sist ze. 'Oneerlijk is het. Gemeen!'

'Volgende!'

De man met de bril pakt zijn boek en zijn krukje. Hij loopt naar binnen. Zijn oren komen scherp uit tegen het licht. De deur valt dicht.

Bram wrijft over zijn armen. Hij krijgt het ineens koud. En hij voelt zich ook niet helemaal lekker. Zijn maag doet pijn. En zijn hart klopt veel te hard. Het lijkt wel een heipaal die in de grond wordt geslagen.

BONK. BONK. BONK.

Het zweet breekt hem uit. Waarom wilde hij dit eigenlijk? Kan hij nog terug?

'Hé, Nina?' zegt hij zacht. Hij kan zichzelf bijna niet horen. Zo hard klopt zijn hart.

BONK. BONK. BONK.

Nina buigt zich naar hem over. 'Ja?'

BONK. BONK. BONK.

'Ik voel me niet goed.'

Nina geeft hem een stootje.

'Ah, joh, dat zijn de zenuwen.

Niks van aantrekken.

Heb ik ook als ik een spreekbeurt moet houden.'

Bram kreunt. 'Nee. Dat is het niet.
Ik voel me echt niet goed.'
BONK. BONK. BONK.
Nina krabt aan haar voorhoofd.
'Oké. Weet je wat?
Ik haal wel even wat water voor je. Goed?'
Ze rent weg. Bram leunt tegen de muur aan. Kon hij maar
even ergens zitten. Wat is het warm hier.

Ineens zwaait de deur open. De Piet met de bril komt
naar buiten. Hij stompt met zijn vuisten in de lucht. En
hij maakt een vreemd geluid. Het klinkt een beetje als
Oeeeeiiieeeee!
Bram slikt. Nu is hij aan de beurt. Maar waar is Nina?
'Volgende!'

9. We hebben al genoeg klunzen

Bram kijkt in paniek om zich heen. Wat moet hij doen?
Zou hij iemand vóór kunnen laten? Hij gaat echt niet
naar binnen zonder Nina.
'Ga je nog of ga je niet?' vraagt de Piet achter hem.
'Kom op,' zegt een ander.
'Je laat ons allemaal wachten.'
Bram steekt zijn hand op.
'Nog heel even,' zegt hij zenuwachtig.
'Nog heel even.'
'Hé!' roept iemand achter in de rij.
'Waarom duurt dat zo lang?'
'Er is er hier een die niet durft!' roept de Piet vlak bij
Bram.
'Echt wel,' zegt Bram verontwaardigd.
'Het is alleen dat...'
Hij kan zijn zin niet afmaken. Want op dat moment
krijgt hij een harde duw tegen zijn rug.
Hij struikelt over de drempel de sportzaal binnen. Hij
stoot zijn voet tegen een hometrainer. Hij valt dwars
over een halter die op de grond ligt. En hij glijdt op
zijn buik verder over de gladde vloer. Tot vlak voor de
tafel van de jury.
Kreunend trekt hij zich omhoog aan de rand van de
tafel.
'Pas op!' roept iemand.
Maar het is al te laat. Bram trekt het hele tafelkleed

over zich heen. Met kopjes, schoteltjes, koffiemelk, suiker.
Een hele schaal pepernoten en suikergoed. Alles klettert
op de grond.
Bram blijft even liggen. Dan krabbelt hij overeind. Zijn
broek zit onder de koffiemelk en suiker. Er valt een
pepernoot uit zijn haar.
'Sorry,' zegt hij ongelukkig.
En hij kijkt naar de drie mensen die tegenover hem zitten.

Een streng uitziende Piet. Maestro Pedro.

Een vriendelijk oud dametje. Kwieke Mieke.

En een stoere man met een verweerd gezicht. Jelle Woudstra.

'En u bent?' vraagt Maestro Pedro streng.

Er kriebelt iets in Brams neus.

'Ha ha ha...' begint hij.

'Ja?' vraagt Maestro Pedro.

'Ha ha...'

Een strootje uit zijn pruik? Het kriebelt verschrikkelijk. Bram slaat zijn handen voor zijn gezicht. Maar hij kan het niet meer tegenhouden.

'Ha ha ha TSJOEEEE!!'

Het lijkt wel een explosie. Maestro Pedro legt zijn hand achter zijn oor. 'Wát is uw naam?'

Bram veegt zijn neus af met zijn mouw. Oei.

Schoensmeer aan zijn rode trui. En nu is zijn neus natuurlijk wit. Wat een stom gedoe. Hij had hier nooit aan mee moeten doen.

'Uw naam?' herhaalt Maestro Pedro ongeduldig.

'Brambo,' zegt Bram nors.

Die naam had hij van tevoren bedacht. Brambo. Dat klinkt net als Rambo. Vet stoer. Alleen jammer dat hij helemaal niet stoer is.

'Juist,' zegt Maestro Pedro.

'Brambo. Bedankt voor de voorstelling.'

Hij kijkt naar de anderen. 'Wat vinden jullie?

Kwieke Mieke steekt haar duim omhoog.

'De beste die ik tot nu toe gezien heb.

Een leuke binnenkomer.

Dat vallen. Dat glijden. Die niesbui.
Geweldig!'
'Het had wel wat,' zegt Jelle Woudstra zuinigjes.
'En jij?' zegt Kwieke Mieke. Ze richt zich tot Maestro
Pedro.
'Wat vind jij?'
Maestro Pedro leunt achterover in zijn stoel. Zijn mond-
hoeken zakken omlaag.
'Ik ben niet onder de indruk.
We hebben al genoeg klunzen.'
Kwieke Mieke geeft hem een duw.
'Kom op!' zegt ze speels.
'Niet zo chagrijnig, jij.
Kinderen vinden zoiets leuk.
Zo'n Piet die doet of hij dom is.
Dat is toch ook belangrijk?
Dat kinderen hem leuk vinden?'
Maestro Pedro zucht. Hij wuift met zijn hand.
'Oké. Oké.
Laten we hem maar een kans geven.'

10. Je mag door naar de volgende ronde

'Gefeliciteerd, Brambo,' zegt Kwieke Mieke stralend.
'Je mag door naar de volgende ronde.
Je hebt het gehaald!'
Ze stopt Bram een brief in handen.
Bram knippert met zijn ogen. Hij heeft het gehaald?
Hij heeft de eerste ronde gehaald?
Hoe is het mogelijk? Hij heeft helemaal niets gedaan.
Maestro Pedro wuift ongeduldig met zijn hand.
'Wegwezen.
Volgende.'

Vol ongeloof loopt Bram terug naar de gang.
Twee mannen volgen hem. De een heeft een camera
op zijn schouder. De ander heeft een microfoon in zijn
hand.
'U bent erdoor!' zegt hij enthousiast. Hij zwaait zijn
microfoon voor Brams neus.
'En? Hoe voelt u zich?'
Bram denkt na. Hij heeft een bult op zijn voorhoofd.
Zijn voet doet pijn. En zijn knie steekt. Maar zijn hart
klopt weer normaal. En hij heeft geen last meer van
zijn buik. Aardig dat die man ernaar vraagt.
'Ik voel me wel goed, geloof ik,' zegt hij.
'Beter dan een kwartier geleden.'
'Je hebt het gehaald!' roept Nina.
Ze rent op Bram af.

En ze stompt hem tegen zijn schouder.

'Ik heb het gezien!

Je was geweldig!

De superkluns noemen ze je!'

'Huh?' zegt Bram verbaasd.

'Heb je me gezien?'

Hij gelooft er niets van. Nina zegt maar wat. Ze was er niet eens.

'Kijk, hier!' zegt Nina.

Ze trekt haar broer mee naar de grote hal. Daar hangt een groot videoscherm. Er staan een heleboel mensen te kijken. Bejaarden. Pieten die al aan de beurt zijn geweest. Supporters.

Bram slaat een hand voor zijn mond. Nee hè. Dus al die mensen hebben hem gezien? Gelukkig is er niemand die op hem let. Iedereen kijkt naar het scherm.

Er is net een vrouwelijke Piet bezig. De Piet die na hem in de rij stond. Ze probeert op een evenwichtsbalk te klimmen. Maar ze is veel te dik. Ze komt er niet eens op. Maestro Pedro wuift haar weg.

'Ga eerst maar eens afvallen.

En volg dan een cursus gymnastiek.

Volgende.'

Het beeld glijdt naar de deur. Er komt een nieuwe Piet binnen. Hij is zo groot als een basketbalspeler. Hij heeft een glimmend, kaal hoofd. En er hangen drie gouden kettingen om zijn nek.

De Piet maakt een beleefde buiging naar de jury. Dan begint hij te rappen.

Sinterklaas is in het land

Geef elkaar de hand
zonder tegenstand
en ontruim een mand
Want ik klim straks op het dak
en ik breng een pak
of een grote zak
vol met snoep peperkoek
speculaas en marsepein
– taai taai yo
taai taai yo

Jelle Woudstra knikt goedkeurend. Maestro Pedro
begint mee te klappen. Alleen Kwieke Mieke kijkt
nogal verbaasd.
De Piet maakt nu vreemde geluiden met zijn mond.
Het lijkt wel of hij een drumstel is.
Taai taai yo
Taai taai yo
Tsj tsj tsjkke
tsjkke tsjkke bom
Tsj tsj tsjkke
Tsjkke tsjkke bom
Met zijn duim en pink slaat hij de maat.
Taai taai yo
Taai taai yo
Maar was je wel je handen
En poets je wel je tanden
Want al dat suikergoed
is dus echt niet goed
en een pepernoot

maakt de gaten groot
en moet je naar de tandarts
anders best een toffe peer
nee dan lach je niet meer
taai taai yo

Het lied is uit. Afwachtend kijkt de Piet naar de jury.
'Dit is een heel vreemd lied,' zegt Kwieke Mieke streng.
De Piet doet zijn armen over elkaar. 'Dit is geen lied,
man. Dit is een rap.'
Jelle Woudstra begint te lachen. En Maestro Pedro zegt
hoofdschuddend:
'Baby Piet?'
'Yo man. Da's mijn naam.'
'Oké. Je bent de beste die ik vandaag gezien heb.
Je bent door!'

11. Ben je in de mesthoop gevallen?

Bram en Nina blijven nog een tijd staan kijken naar de andere kandidaten. De meesten doen het niet al te best.
Ze worden stuk voor stuk weggestuurd door de jury.
Maar er zijn ook een paar goede Pieten bij. Pieten die door mogen naar de finale.
Ineens denkt Bram aan de brief die hij gekregen heeft.
Hij scheurt de envelop open en begint te lezen.

Geachte kandidaat-piet,

Gefeliciteerd. U bent door de eerste ronde heen.
Hierbij uw programma voor de komende week.

Programma

Maandag	verfstraat kledingmagazijn pruikenafdeling klimwand
Dinsdag	daklopen boetseren met marsepein
Woensdag	gooien en strooien rijmen en pakken
Donderdag	grappen en grollen zingen en dansen
Vrijdag	meesterproef: bezoek aan basisschool
Zaterdag	finale

Elke dag zullen er kandidaten afvallen.
U logeert in het Mercure hotel in Haren.
Wij verwachten u daar maandag om 8 uur 's morgens.

Maestro Pedro

'O nee!' zegt Bram geschrokken.

Hij stoot Nina aan.

'Moet je dit zien.

De training begint maandag om 8 uur.

En ik moet er blijven slapen...'

Hij slikt. Ineens weet hij niet zeker of dit wel zo'n goed idee was. Het leek zo leuk om Piet te zijn. Maar hoe moet het dan met school? En met papa en mama? Is het wel zo leuk om echt in Spanje te gaan wonen?

Nina leest de brief snel door.

'Ja,' zegt ze.

'Ik zie het.

Dat wordt lastig.

Misschien moeten we maar even bij opa langs...'

'Hé!' zegt opa. 'Dat is leuk.

Mijn favoriete kleindochter.'

Hij kust Nina op haar beide wangen. Dan steekt hij zijn hand uit naar Bram.

'Hallo. Jou ken ik nog niet.

Jij bent een vriendje van Nina?'

'Opa!' zegt Bram ongeduldig.

'Ik ben het.'

'Bram?' Opa kijkt verbaasd.

'Wat is er met jou gebeurd?

Ben je in de mesthoop gevallen?'

'Neeheee!' zegt Bram.

'Dit is toch geen mest!

Dit is schoensmeer.'

Opa ruikt voorzichtig aan Brams gezicht.

'Gelukkig,' zegt hij.
'Ik was even bang.
Maar als ik vragen mag...'
'Ik heb hem geverfd,' legt Nina uit.
'Hij deed mee aan de Pietenverkiezing.'
'Ach ja,' zegt opa.
'De Pietenverkiezing.
In het Sportpaleis.
Ik heb de aankondiging gezien.
Dus jij hebt eraan meegedaan, Bram?
En, hoe ging het?'
'Goed,' zegt Bram. Hij zucht.
'Ik ben door naar de tweede ronde.'
'Echt waar?' roept opa.
'Maar dat is geweldig!
Bram, je bent een kind naar mijn hart.
Ik wist wel dat er een Piet in je zat!
Kom binnen, jongens.
We gaan bubbellimonade drinken.
Dit moeten we vieren.
Mijn kleinzoon. Een Piet!
Zeg, waarom kijk je niet wat vrolijker?'

Nina en Bram leggen het probleem uit.
'Wat moet ik doen, opa?' vraagt Bram.
'Moet ik me maar terugtrekken?'
'Ben je gek!' roept opa.
'Niet doen!
Dit is de kans van je leven.
Ga jij maandag maar naar Haren.

Ik zal dit varkentje wel eens even wassen.'

'Hoe dan?' vraagt Nina.

Opa pakt de telefoon. Hij toetst een nummer in.

'Hallo? Femke?

Met pa.

Zeg, kan ik je zoon een weekje lenen?

Ja. Vanaf maandag.

Haha. Maak je geen zorgen.

Je krijgt hem weer terug hoor.

Lenen, zei ik, niet *houden*.

Oké. Heel fijn. Dag!'

Opa legt de telefoon weer neer. Hij kijkt tevreden.

'Zo, Bram.

Dat is geregeld.

Ik leen je van je vader en moeder.

En dan leen ik je weer uit aan Sinterklaas.

Goed idee, toch?'

'Heel goed,' zegt Bram.

'Maar hoe moet het dan met school?'

'Geen probleem,' zegt opa.

'Ik schrijf wel een briefje.

En zal ik je nu maar van die schoensmeer afhelpen?'

12. Is er iets mis met zwart?

Het is maandagmorgen. Buiten is het nog schemerig.
Maar Bram zit al op de fiets. Met een koffertje achter-
op. Hij is op weg naar naar Haren. Naar het Mercure
hotel.
Het voelt al echt winters buiten. Het gras is wit van de
kou. Er stijgt damp van de paarden. Bram fietst zo hard
hij kan. Stel je voor dat iemand hem ziet. Iemand die
zegt:
'Hé, Bram, wat doe jij in Haren?
Moet jij niet op school zitten?'

Vóór acht uur is hij bij het hotel. Er staat al een groepje
mensen te wachten. Vast de andere kandidaat-pieten.
Bram zet zijn fiets neer. Langzaam loopt hij op de
groep af. Hé! Die lange zwarte man met al die kettin-
gen − is dat niet Baby Piet? En die dikke man met die
bril herkent hij ook. Dat is de man met dat rare boek.
De deur van het hotel gaat open. Er komen twee
Pieten naar buiten. Maestro Pedro. En een Piet die
Bram nog nooit gezien heeft. Hij ziet er deftig uit. Hij
heeft een zwart pak aan. En een rode stropdas.
Maestro Pedro schraapt zijn keel. 'Goedemorgen kandi-
daten,' zegt hij.
'Dit is Piet Afonso.
Onze kleur- en kledingspecialist.
Ik laat u graag aan hem over.
Vanavond zie ik u weer.'

Maestro Pedro verdwijnt naar de parkeerplaats. In een rood autootje rijdt hij weg. De snelweg op. Richting Groningen.

Piet Afonso kucht. Een deftig kuchje is het.
'Van harte welkom.
Fijn dat u er bent.
Hier zijn uw kamersleutels.
Er ligt zwemkleding op uw bed.
Als u zich even kunt omkleden?
Gaan we daarna met z'n allen – '
'Pardon?' zegt de dikke man met de bril.
'Ik ben niet van plan om te gaan zwemmen.'
'Ik ook niet,' zegt een oudere vrouw.
'Brrrr. Veel te koud.'
Piet Afonso glimlacht. 'Wie heeft het over zwemmen?
U gaat naar de wasstraat.'
Hij wijst naar de benzinepomp naast het hotel.
'Daar wordt u in de zwarte verf gezet.'
'Cooool,' mompelt Bram.
In de wasstraat. Dat heeft hij altijd al gewild.
Hij heeft altijd al het raampje open willen zetten. Om te voelen hoe dat is, die borstels. Al dat water. Die zemen die over je heen aaien. De warme lucht die je weer droog blaast.
'De wasstraat?' roept een dame verschrikt.
'Hoe lang blijft die verf zitten?'
'Niet al te lang,' stelt Afonso haar gerust.
'We gebruiken een kleurshampoo.
Na een maandje is dat er wel af.'

'Een maand?' roept de dame.

'Dat is te lang!

Mijn dochter trouwt over twee weken.

Dan kan ik toch niet zwart zijn?'

'O nee?' vraagt Baby Piet. Hij buigt zich naar de vrouw
toe. Zijn stem klinkt niet al te vriendelijk.

'Ik zou niet weten waarom niet.

Is er iets mis met zwart?'

'Niks, niks!' zegt de vrouw snel.

'Alleen – ik...'

Ze wappert met haar handen. Haar wangen krijgen
rode blosjes. 'Ik wil toch liever mijn eigen kleur.

Op de bruiloft van mijn dochter.'

'In noodgevallen kunt u schuurmiddel gebruiken,' stelt
Afonso haar gerust.

'Of chloor.'

'Dan hebt u zo uw eigen bleke kleur weer terug.'

'Tjonge,' mompelt Baby Piet sarcastisch.

'Wat een opluchting.

Zeg, Afonso. Ouwe flapdrol.

Je snapt toch wel dat ik niet in die wasstraat ga?

Ik ben al zwart.'

Piet Afonso kijkt hem keurend aan. Hij houdt zijn
hoofd een beetje schuin.

'Ik geef toe,' zegt hij.

'U bent wel zwart.

Maar het is niet helemaal de goede kleur.'

'Wát?' zegt Baby Piet verontwaardigd.

'Ga jij mij vertellen dat ik niet goed zwart ben?

Pas op je woorden, makker.

Je verft al die bleekscheten maar.

Maar van mij blijf je af.

Het stond in die advertentie.

Je moest zwart zijn. Of zwart willen worden.

Nou, ik BEN DUS ZWART!'

Bram krimpt in elkaar. Baby Piet is wel érg boos. Maar
Afonso is niet onder de indruk. Hij zegt:

'Ik ben bang dat we u toch bij moeten kleuren.

Kijk. Ik zal het u laten zien.'

Afonso haalt een kleurenkaart tevoorschijn. Een kaart met
allemaal tinten bruin, grijs en zwart. Hij wijst een zwart
hokje aan.

'Dit is het zwart dat we willen.

Rokerig zwart.

Schoorsteenzwart.

Snapt u?'

Baby Piet staart even voor zich uit. Dan gromt hij:

'Vooruit dan maar.

Als ik over een maand mijn eigen kleur maar weer terug-
heb.'

13. Ik zei nog zo: houd uw mond dicht

Bram trekt een veel te grote zwarte zwembroek aan.
Hij zet een badmuts en een zwembril op. Hij doet een
dikke gele badjas aan. En dan rent hij het hotel uit.
Door de koude herfstlucht. Naar de wasstraat toe.
Bij de wasstraat staat een cameraman te filmen. Bram
schrikt. Snel doet hij zijn badjas voor zijn gezicht. Stel
je voor dat papa en mama hem herkennen! Dan staan
ze hier vanavond op de stoep. Dan kan hij het Piet-
worden wel vergeten.
'Zo,' klinkt een neuzelige stem.
'U wilt niet herkend worden?'
Bram kijkt naast zich. Nee hè. Het is de man met de
bril.
'Natuurlijk willen wij niet herkend worden,' zegt Baby
Piet. Hij slaat een arm om Brams schouders.
'Stel je voor.
Straks zien kleine kinderen dat thuis op de tv.
En wat denken ze dan?
Dat Pieten gewoon geverfde mensen zijn.
Dat het allemaal nep is.
Dat moeten we toch niet hebben?
Wat vind jij, Afonso?
Dat verven moet toch niet gefilmd worden?'
Afonso knikt langzaam.
'Je hebt gelijk, Baby Piet.
Daar had ik niet aan gedacht.

We gaan pas filmen ná het verven.
Goed idee.'

Bram schiet snel de wasstraat in. Zijn badjas doet hij in
een plastic doos. Snel gaat hij naast Baby Piet staan. Pff.
Dat was op het nippertje.
Afonso komt de wasstraat binnen.
'Armen wijd,' roept hij.
'Zet u schrap.
Denk eraan: de borstels zijn nogal krachtig.
Probeer te blijven staan.
En het allerbelangrijkste: houd uw mond dicht!
Wat er ook gebeurt.'
Bram spreidt zijn armen. Er klinkt een bel. De vloer
begint te trillen.
Het volgende moment sproeien de warme stralen tegen
Brams lichaam. Het lijkt wel een douche. Een douche met
zwarte verf. Er lopen zwarte strepen over Brams buik en
benen.
Dan klinkt er gebrom. Enorme grote gele borstels begin-
nen te draaien. Ze bewegen naar het midden van de was-
straat toe. Bram klemt zijn lippen op elkaar. Zijn hart
bonst. De borstels komen steeds dichterbij. Ze draaien
sneller en sneller.
'Help!' roept een vrouw.
Het volgende moment krijgt ze een slok verf binnen.
'Hèèèèllllllllffp!'
Ze probeert weg te komen. Maar ze struikelt over de
gladde vloer. Plat op haar buik blijft ze liggen.
Bram kan niets doen om haar te helpen. Hij valt zelf ook

bijna om. De borstels duwen van alle kanten. Ze wrijven over zijn buik, zijn rug, zijn benen. Ineens wordt het helemaal zwart voor zijn ogen. Dus daarom moest hij dat zwembrilletje op.

De borstels zoemen weer weg. Ineens komen er van alle kanten stralen warm water. Tenminste – het voelt als water. Maar het zou ook soep kunnen zijn. Of een nieuwe lading zwarte verf. Bram ziet helemaal niets meer.

Het water stopt even plotseling als dat het begonnen is. Hete lucht blaast tegen Brams lichaam aan. Héél hete lucht. Gelukkig duurt het maar even. Dan stopt de vloer met trillen. En het wordt weer koel. Koud zelfs.

'Doet u de brilletjes maar af,' klinkt de stem van Afonso.

Bram trekt zijn bril af. Hij kijkt naar zijn armen. Naar zijn buik. Naar zijn benen. Hij is zwart. Prachtig zwart. Net als alle andere mensen in de wasstraat. Alleen de mevrouw die gevallen is, ziet er vreemd uit. Haar rug is mooi zwart geworden. Maar van voren heeft ze alleen strepen. Ze lijkt wel een zebra.

'Het is een schande!' roept ze.

Er komen zwarte spetters uit haar mond.

'U zoekt uw Pieten maar ergens anders, meneer de Piet.

Ik stop ermee.

Hier gaat u meer van horen!'

Piet Afonso schudt zijn hoofd.

'Ik zeg het niet graag.

Maar dit is wel een béétje uw eigen schuld.

Ik zei nog zo: houd uw mond dicht.'
'Pfoe!' zegt de mevrouw. Ze spuugt een mondje verf uit.
Boos stampt ze de wasstraat uit.

'Hoe zit het met die witte rand om onze ogen?' vraagt
iemand.
'Dat ziet er toch niet uit?
We lijken wel omgekeerde panda's.'
'Dat verven we straks met de hand bij,' belooft Afonso.
'Doe uw badjas en slippers weer aan.
Dan gaan we terug naar het hotel.'
Iedereen pakt zijn badjas uit de doos. Baby Piet bekijkt
zijn armen en benen.
'Lelijk,' moppert hij.
'Bah.
Schoorsteenzwart.
Wat een smerig kleurtje.
Als mijn vrouw dat ziet...
Straks mag ik het huis niet meer in.'
'Echt?' zegt Bram.
'Is je vrouw zo streng?'
'Héél streng,' zegt Baby Piet.
'Ik zit behoorlijk onder de plak.'
Hij geeft Bram een dreun op zijn schouder. Bram valt bij-
na omver.
'Kom mee, maat.
We gaan naar het hotel.
Eens kijken of ze daar kleren voor ons hebben.'

14. Brillieboy

Het wordt een drukke morgen. Eerst worden de witte randen rond de ogen bijgeverfd. Dan moeten alle kandidaten naar het kledingmagazijn. In een zaal van het hotel.

Bram schudt verbaasd zijn hoofd als hij de zaal binnenkomt. Het lijkt wel een winkel. Een winkel met alleen maar Pietenkleren. Er zijn rekken met fluwelen kniebroeken. Jasjes en capes in alle kleuren. Grote bakken met kanten kragen. Truien. Baretten. Linten. Veren. Kasten vol gymschoenen.

Bram krabt zich achter zijn oor. Waar moet hij beginnen? Hij heeft nog nooit alleen kleren uitgezocht. Of schoenen. Dat doet hij altijd met papa.

Maar daar komt al iemand op hem af. Een meneer met een meetlint om zijn nek.

Hij gaat meteen aan de slag. Hij meet Brams schouders. Zijn rug. Zijn borstomtrek. Zijn buik. Zijn benen. De maten krabbelt hij in een opschrijfboekje.

'Momentje,' zegt hij dan.

Hij snelt weg. Zoekend loopt hij langs de rekken. Hij trekt er van alles uit. Truien. Jasjes. Witte kragen. Broeken. Een paar lange kousen.

Met zijn armen vol loopt hij naar Bram toe. Hij duwt hem de stapel kleren in handen. 'Alstublieft. Daar kunt u passen.'

Hij wijst naar een deur. Bram kan bijna niets zien boven de stapel kleren uit. Hij wankelt naar een kamer toe. Daar laat hij de hele stapel op de grond vallen.

Tjonge. Dit is heel wat anders dan wat hij zaterdag aan-
had. Dit zijn écht Pietenkleren.

De dikke man met de bril komt nu ook binnen. En vlak
na hem Baby Piet.

'Eey Brambo,' zegt hij.

Gaat ie?'

'Goed,' zegt Bram. Hij valt bijna om. Niet zo slim om
twee benen in één broekspijp te stoppen.

De man met de bril schraapt zijn keel. 'Mag ik eens wat
vragen?' zegt hij met zijn knijper-op-de-neus-stem.

Baby Piet geeft hem een dreun op zijn schouder. Zo hard
dat zijn bril bijna afvalt.

'Tuurlijk, maat.

Vraag jij maar een eind weg.'

'Ik had het niet tegen u,' zegt de man. Hij duwt zijn bril
terug op zijn neus.

'Ik had het tegen deze knaap hier.

Zaterdag zag ik jou toch ook al?

Ik wil het nu toch wel even weten.

Hoe oud ben jij eigenlijk?'

'Oud genoeg,' zegt Bram.

'Dat heb ik toch al gezegd?

Ik ben oud genoeg om Piet te worden.'

Hij wurmt zijn voeten in een oranje-witte kous.

'En hoe zit het dan met school?'

De man met de bril kijkt streng.

'School?' zegt Bram verstrooid. Hij kijkt in de spiegel. Is
hij dat echt? Voorzichtig steekt hij zijn hand uit. De Piet
tegenover hem steekt zijn hand ook uit.

Niet te geloven! Hij ziet eruit als een echte Piet. Op
het haar na dan. Hij is nog steeds blond.

'School, ja,' zegt de man met de bril.

'Tafels leren.

Aardrijkskunde.

Geschiedenis.

Weet jij bijvoorbeeld wanneer Willem van Oranje is
vermoord?'

Bram draait zich verschrikt om.

'Wat? Willem van Oranje?

Is die dood?

Dat wist ik niet.'

Niet dat hij hem kende. Hij heeft zelfs nog nooit van hem gehoord. Maar het is toch erg.

De man trekt zijn mond in een smalle streep.

'Dat bedoel ik.

Jij hoort nog op school te zitten.

Ik ga de inspectie inlichten.

Dat is mijn plicht.'

Hij pakt een mobieltje uit de zak van zijn badjas. Hij toetst een nummer in. Bram slikt. Nu is hij erbij.

Maar Baby Piet komt hem te hulp. Hij stapt op de man af.

'O nee!' zegt hij, terwijl hij op hem neerkijkt.

'O nee.

Jij gaat mijn maat Brambo niet verraden.

Helemaal niet.

Jij stopt dat mobieltje gauw weer in je zak.

Brillieboy.'

'Van Pijkeren is de naam,' zegt de man met de bril.

'Werkelijk?' zegt Baby Piet.

'Wat een toeval.

Ik had ooit een meester die Van Pijkeren heette.

Tjonge jonge.

Kon die man effe geen orde houden.

Verschrikkelijk gewoon.

Zeg, ik houd het op Brillieboy hoor.

Ik wil je niet beledigen, natuurlijk.'

15. Inspectie

'Ik zou maar een beetje bij Brillieboy uit de buurt blijven,' zegt Baby Piet achter zijn hand.

'Ik weet niet wat het is.

Maar ik vertrouw hem niet.'

Bram knikt. Hij heeft hetzelfde gevoel. Dat hij moet oppassen voor Brillieboy.

Afonso komt de kleedkamer binnen.

'Iedereen klaar?' vraagt hij.

'Dan gaan we nu naar de pruikenafdeling.'

Hij opent de deur naar een andere zaal. Langs de muren staan tafels met plastic hoofden. Elk hoofd heeft een pruik op.

'Ga uw gang,' zegt Afonso.

'Zoek een passende pruik uit.'

Bram probeert er een. Maar de pruik is veel te groot. Hij zakt bijna voor zijn ogen. Een andere pruik zit te strak bij zijn oren. Een volgende pruik kriebelt verschrikkelijk. Eindelijk vindt hij een pruik die goed zit. Voorzichtig voelt hij aan zijn nieuwe kroeshaar. Het voelt vreemd. Heel anders dan zijn eigen haar. Het veert.

'Eey, Brambo!' roept Baby Piet.

'Mooi, man!

Je ziet er stukken beter uit zo.'

'Jij ook,' zegt Bram.

'Nu je niet meer kaal bent.'

Baby Piet voelt aan zijn hoofd.

'Mwah.

Ik weet niet.

Ik scheer mijn kop niet voor niks.

Die kale kop past bij mij, snap je.'

'Misschien vind je vrouw het mooi,' zegt Bram.

'Misschien,' zegt Baby Piet.

'Maar ik denk het niet.

Ze houdt van kale mannen.

Dat heeft ze tenminste altijd gezegd.'

'Inspectie!' roept Piet Afonso.

Bram gaat snel in de rij staan. Piet Afonso komt langzaam langslopen. Hij bekijkt alle Pieten van top tot teen. Hier en daar maakt hij een opmerking.

'Een gele cape?

Alsjeblieft zeg.

Geel is helemaal uit deze winter.'

'Wat is dat voor mislukte pruik?

Het haar valt nu al uit.

Ga een andere halen.'

Tegen de man met de bril zegt hij streng:

'Dit is een pofbroek!

Maar het lijkt wel een maillot.

Hoe zou dat komen, denkt u?'

Baby Piet grinnikt. Hij stoot Bram aan.

'Brillieboy krijgt er van langs.'

Brillieboy kijkt hem kil aan. Baby Piet grijnst vriendelijk terug.

'Zeg, Baby Piet,' zegt Afonso.

'Die kettingen?'

Baby Piet kijkt tevreden naar de dikke gouden kettin-
gen om zijn nek.
'Van m'n vrouw gekregen.
Mooi hè?'
'Heel mooi,' zegt Afonso.
'Maar ze moeten af.'
'Dacht het niet,' zegt Baby Piet streng. Hij doet zijn
armen over elkaar.
Afonso tikt met zijn voet op de grond.
'Dacht het wel,' zegt hij.
'Ik snap dat je van bling bling houdt.
Maar voor een Piet kan het niet.
Het is te gevaarlijk bij het klimmen.'
'Precies wat ik ook altijd zeg!' roept Brillieboy.
Hij pakt zijn boek en leest voor:
'Draag geen sieraden bij het beklimmen der daken,
Velen voor u verloren reeds een vinger.
Of erger.'

Baby Piet gromt iets onverstaanbaars. Maar hij doet zijn
kettingen af. Hij stopt ze in zijn broekzak.
'Zo,' zegt Afonso opgewekt.
'Mijn taak zit erop.
U ziet er uit als echte Pieten.
Na de lunch gaat de training beginnen.
Ik laat u graag over aan mijn vriend Jelle Woudstra.'

16. Zeurpiet

Bram eet een broodje kaas. En hij luistert naar de gesprek-
ken van de andere Pieten. Ze vertellen waarom ze meedoen aan de Pietenverkiezing.

'Mijn dokter zegt dat ik rust nodig heb,' vertelt een stra-
tenmaker.

En warmte.

Voor m'n rug.

Daarom wil ik Piet worden, zie je.

Dan kan ik tien maanden per jaar vakantie houden in
Spanje.'

'Ik zat altijd maar binnen,' zucht een wc-juffrouw.

'Zelfs bij het mooiste weer.

Ik wist niet of het dag of nacht was.

En dan die stank.

Vooral in de heren-wc's.

Ik kon er niet meer tegen.'

'Ik word helemaal naar als ik bloed zie,' zegt een verpleegster.

'En dat is toch lastig bij mijn werk.

En toen zag ik de advertentie.

Ik dacht: dit is mijn kans!

Als Piet hoef je kinderen geen prikken te geven.

Of bloed af te nemen.'

'Maar je moet ze wel met de roe slaan!' zegt Brillieboy.

Hij veegt een kruimeltje weg met zijn servet.

'Kunt u daar dan wel tegen?'

De verpleegster slikt.

'Moet dat?

Dat wist ik niet.'

'Ga nou toch fietsen,' zegt Baby Piet.

'Brillie met zijn ouderwetse ideeën.

Kinderen slaan!

Dat is al jaren verboden in Nederland!'

'Wetten kunnen veranderd worden,' zegt Brillieboy hoopvol.

Bram neemt een hap van zijn broodje. 'Waarom wilt u eigenlijk Piet worden, Brillie?' vraagt hij.

'Niet met volle mond praten alsjeblieft,' zegt Brillieboy streng.

'En de naam is *Van Pijkeren.*'

'Van Pijkeren?' zegt de wc-juffrouw.

'Ha! Ze zouden je beter Zeurpiet kunnen noemen.'

De deur van de eetzaal gaat open. Jelle Woudstra komt binnen. Samen met een camerateam. Bram schrikt even. Maar Baby Piet stoot hem aan.

'Maak je geen zorgen,' fluistert hij.

'Niemand zal je herkennen.'

De camera begint te draaien.

'Goeiemiddag, mensen,' zegt Jelle Woudstra. Wijdbeens staat hij in de deuropening. Een opgerold touw hangt over zijn schouder.

'We gaan vanmiddag beginnen met uw klimtraining. Gaat u mee? De bussen staan klaar.'

Binnen tien minuten zijn ze bij de klimzaal. Bram heeft het gebouw al wel eens van buiten gezien. Maar hij is

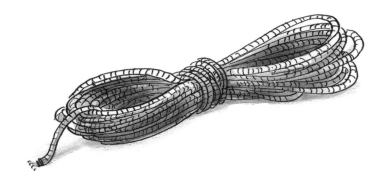

er nog nooit in geweest. De muur is bedekt met gekleurde plastic stenen. Bram kan bijna niet wachten tot hij mag gaan klimmen.

Jelle Woudstra legt uit: 'Er zijn verschillende manieren van klimmen.

De meeste Pieten gebruiken de Spaanse methode.

Klimmen zonder gordel.

Vinden ze stoer.

Zo is het altijd gedaan, zeggen ze.

Maar het is natuurlijk levensgevaarlijk.

Dat snapt u wel.

De inspectie heeft het vorig jaar verboden.

Gebeuren veel te veel ongelukken mee.

Wij klimmen volgens de Nederlandse methode.

We gebruiken een gordel. En een helm.

Op naar de top?

Veiligheid voorop.

Dat is mijn devies.'

Jelle houdt een gordel omhoog.

Het lijkt wel een tuigje uit een kinderstoel.

'Ik zal u even uitleggen hoe het werkt.

Het is heel eenvoudig.

Je steekt je benen in de lussen.

En je doet de heupband vast om je middel.

Als je een gordel gebruikt, kan je niets gebeuren.'

'Behalve als het touw breekt,' zegt iemand.

'O nee,' zegt Baby Piet tegen Bram. Hij rolt met zijn ogen.

'Daar hebben we Brillieboy weer.'

Brillieboy slaat zijn boek open.

'Ik lees hier:

'Vertrouw nooit op klimmateriaal.

Het kan rafelen, slijten, breken.

Een goede Piet...'

Jelle onderbreekt hem.

'U hebt tien minuten om boven te komen.

Wie er langer over doet, kan vertrekken.'

17. Natuurtalent

Bram steekt zijn vinger op.
'Mag ik iets vragen?
Hier zitten allemaal steuntjes in de muur.
Maar bij een huis is dat toch niet zo?'
Jelle Woudstra knikt waarderend.
'Goede opmerking, Brambo.
Dit is natuurlijk ook nog maar een oefening.
Het is nog niet het echte werk.
Als je een huis beklimt, kun je twee dingen doen.
Je kunt pinnen in de muur slaan.
Dat doen bergbeklimmers ook vaak. Vooral bij steile wanden.
Ze klimmen dan van pin naar pin.
Maar dat heeft een nadeel.
Met het getimmer maak je het hele huis wakker.
Wat je beter kunt doen is:
Zoeken naar steunpunten.
Uitstekende stenen.
Gaten in de muur.
Randjes.
Kozijnen.
Een dakgoot.
Elk huis is te beklimmen.
Elk huis.
Als je maar wilt.'

Een stevige Damespiet is als eerste aan de beurt. Tien

minuten lang probeert ze omhoog te komen. Maar ze valt steeds terug.

'Dit is onmogelijk,' roept ze, anderhalve meter boven de grond. 'Er zijn veel te weinig uitsteeksels!'

'Strek die arm!' roept Jelle Woudstra.

'Hoger! Kom op! Trek je op!'

De Damespiet doet haar best. Maar het lukt haar niet.

Daar gaat ze weer. Als een dikke bromvlieg bungelt ze langs de klimwand. Twee stevige mannen houden het touw stevig vast, zodat ze niet valt.

Jelle Woudstra zucht. 'Stop er maar mee.

Dit wordt niks.

U kunt naar huis.

Volgende.'

Bram rent naar voren. Snel stapt hij in zijn gordel. Hij snoert de heupriem stevig aan. En dan gaat hij op de klimwand af. De cameraman hurkt naast hem neer.

'Neem de groene uitsteeksels,' zegt Jelle.

Bram pakt een groene steen vast. Hij zet zich af. En hij begint te klimmen. Van het ene naar het andere steun-punt. Als een spin kleeft hij tegen de muur aan.

Moeiteloos klimt hij naar boven. Binnen twee minuten is hij bij het hoogste punt.

'Heel goed!' roept Jelle.

'Laat je maar weer zakken.'

Bram kijkt onder zich. Oei. Dat is wel hoog. Hoe moet hij nu naar beneden? Hij zoekt met zijn voet naar een steunpunt.

'Springen!' toetert Jelle.

'Zet je af!'

Springen? Bram pakt het touw en zet zich af. Zoef! Daar
gaat hij. Een paar meter naar beneden. Nog een sprong
tegen de muur. En nog een. En dan staat hij weer in de
zaal.
'En?' vroeg Baby Piet.
'Cool!' zegt Bram, terwijl hij uit zijn gordel stapt. Zijn
wangen gloeien.
'Vet cool!'
Jelle klopt hem op zijn rug. 'Dit zeg ik niet snel.
Maar jij bent een natuurtalent, Brambo.'

De hele middag wordt er druk geklommen. Heel wat
Pieten vallen af. Teleurgesteld verlaten ze de klimhal.
Gelukkig doet Baby Piet het prima. Hij is binnen de
minuut boven. Niet zo vreemd als je zijn spierbundels
ziet.
Ook Piet Pleistra, de verpleegster, is een goede klimmer.
Net als Chlorix, de wc-juffrouw. Brillieboy heeft het een
stuk moeilijker. Hij komt maar langzaam omhoog. De
zweetdruppels tikken op de grond.
Bram staat gespannen toe te kijken. Hij zou het eigenlijk
helemaal niet erg vinden als Brillie zou afvallen. Maar dat
is natuurlijk niet aardig.
Ineens voelt hij zijn mobieltje in zijn broekzak trillen.
Snel drukt hij op OK.
'Bram?' Het is de stem van opa.
'Hoe gaat het?'
'Heel goed, opa.
We hebben klimtraining gehad.
Ik ben tegen een muur geklommen.

Vanavond is het op televisie.
U gaat toch wel kijken?'
'Tuurlijk,' zegt opa.
'Ik zou het voor geen goud willen missen.'
Ineens schiet Bram iets belangrijks te binnen.
'Opa! Hebt u nog wat van Nina gehoord?
Heeft ze geen problemen gehad op school?'
'Wat hoor ik?' klinkt een zeurderige stem.
'Problemen? Op school?
Vertel eens.
Daar wil ik meer van weten.'

18. Problemen

Bram klapt snel zijn mobieltje dicht.

'Ik heb geen problemen,' zegt hij.

'O nee?' zegt Brillieboy.

Hij knakt zijn vingers, een voor een. Het klinkt alsof ze breken.

'Zou er wat mis zijn met mijn oren?

Ik hoorde duidelijk dat je het over school had.

Over problemen op school.'

Bram kijkt zoekend rond. Maar Baby Piet takelt net een oude Piet omlaag. Die kan hem niet helpen.

'Je kunt iedereen hier voor de gek houden,' gaat Brillie verder.

'Maar mij niet.

Ik weet wat jij bent.

Jij bent een schoolkind.

Een spijbelend schoolkind.

Zeg eens even, jongetje.

Hoe heet jij eigenlijk?'

Bram steekt zijn kin in de lucht.

'Brambo,' zegt hij.

'Ik heet Piet Brambo.'

'Ja, en ik heet Suikerbuik,' zegt Brillieboy smalend.

Hij tikt met een voet op de grond. Tap-tap-tap.

'Kom op.

Je echte naam.

En snel een beetje.'

Een groepje Pieten komt luid lachend langslopen. Snel

duikt Bram achter hen weg. Hij verstopt zich tussen
hen in. En hij loopt met hen mee, de zaal uit.
'Ja, loop maar weg!' hoort hij Brillieboy roepen.
'Ik kom er toch wel achter.'

Die avond zit Bram op zijn hotelkamer. De kamer die
hij met Baby Piet deelt. Baby Piet is er niet. Hij is aan
het eten. Net als alle andere Pieten. Bram heeft ook
honger. Maar hij durft niet naar beneden te gaan. Hij
wil Brillieboy niet weer tegenkomen.
Ineens wordt er op de deur geklopt. Brams hart begint
te bonzen. Hij springt snel van zijn bed af. Waar kan hij
heen? Naar de badkamer? Onder het bed?
Maar op dat moment gaat de deur open. Baby Piet
komt binnen.
'Hé, Brambo.'
Bram krabt aan zijn nek.
'O. Eh... hoi. Baby.'
'Waarom was je niet bij het eten?' informeert Baby
Piet.
'Ben je ziek?'
Bram schudt zijn hoofd.
'Of is er wat anders?' vraagt Baby Piet.
'Eh...' zegt Bram.
'Wacht even,' begrijpt Baby Piet.
'Dit heeft vast te maken met Brillieboy.
Ik zag je vanmiddag met hem praten.
Had hij weer wat te zeuren?'
Bram knikt.
'Hij hoorde me met mijn opa bellen.

En nu wil hij persé weten hoe ik heet.
Ik ben bang dat hij de politie wil waarschuwen.'
'Luister, maat,' zegt Baby Piet. Hij gaat op zijn bed zitten.
'Je kunt mij maar beter alles vertellen.
Dan kan ik je misschien helpen.'
Bram gaat ook zitten. En hij vertelt. Dat hij eigenlijk nog
geen zestien is. Maar dat hij zo graag Piet wilde worden.
En dat hij zomaar door de eerste ronde heen is gekomen.
En dat opa vond dat hij door moest gaan.
Baby Piet luistert aandachtig. Af en toe knikt hij. Alsof hij
het helemaal begrijpt.
'Heb je al nagedacht over de finale?' vraagt hij dan.
'Wat je doet als je het haalt?
Wil je dan echt Piet worden?
Mee naar Spanje, bedoel ik?'
Bram trekt een gezicht.
'Naar Spanje?
Echt niet!'
Baby Piet grinnikt.
'Dat klinkt alsof je het een straf zou vinden.'
Bram denkt na. Dan zegt hij langzaam:
'Eerst leek het me vet cool, weet je.
Mee met de intocht van Sinterklaas.
's Nachts de daken op.
Pakjes rondbrengen.
Vakantie houden in Spanje.
Maar als ik er over nadenk...
Ik geloof dat ik toch liever thuis wil wonen.'
Baby Piet knikt.
'Ik snap het,' zegt hij.

'Het is ook een hele stap, Piet worden.

Je laat heel wat achter.

Je huis. Je vrienden. Je familie.

Het is dat mijn vrouw mee wil naar Spanje.

Anders zou ik het ook niet doen.'

Bram haalt diep adem. Hij is blij dat Baby Piet hem begrijpt. Dat hij het niet raar vindt.

'Dan ga ik maar naar Maestro Pedro,' zegt hij.

Om te zeggen dat ik ermee stop.'

Baby Piet geeft hem een stomp tegen zijn schouder.

'Ben je gek?

Je gaat niet stoppen hoor!

Probeer nou gewoon de finale te halen.

Je hoeft echt niet naar Spanje als je niet wilt.

Maar stel je voor dat je het haalt.

Dan kun je in elk geval meedoen met de intocht.'

Bram knikt langzaam. Mee met de intocht. Dat zou wel heel gaaf zijn. Als dat zou kunnen...

'Blijf vanaf dit moment steeds bij mij in de buurt,' zegt Baby Piet.

'Dan durft Brillieboy niks te doen.

Afgesproken?

Oké. Dan ga ik nu een bord eten voor je halen.'

19. Dringende omstandigheden

Bram en Baby Piet zitten allebei op hun bed. Met een blikje cola en een zak popcorn. Ze kijken naar de tv.

'En dan nu...' roept de presentator.

'... de strijd waar heel Nederland over praat.

Waar iedereen aan mee zou willen doen.

Piet in de finale!

Dieuwertje, wat hebben de kandidaten gedaan, vandaag?'

Dieuwertje kijkt vrolijk in de camera.

'Hallo, Ron.

Het is vroeg in de ochtend.

We staan hier bij het BP-station in Haren.

De kandidaten zijn net geverfd.

Daar mochten we helaas niet bij zijn.

Maar we filmden wel toen ze uit de wasstraat kwamen.

Helaas was het verven niet bij iedereen goed gelukt.'

Een wit-zwart gestreepte Piet rent de wasstraat uit.

'Het is een schande!' roept ze.

'Een regelrechte schande!

Hier gaan ze meer van horen.'

Nu komen de andere Pieten naar buiten. Bram kijkt of hij zichzelf ziet. Maar er zijn zoveel Pieten. En ze lijken allemaal op elkaar. Zwarte benen. Zwarte armen. Zwarte gezichten. Wit omrande ogen. Blonde haren. O, wacht – die kleine Piet. Dat moet hij zijn.

Het beeld verspringt naar het kledingmagazijn. De pruikenafdeling. De deelnemers veranderen steeds meer in echte Pieten.

Af en toe ziet Bram zichzelf. Maar het is net of hij naar een ander kijkt. Hij herkent zichzelf niet. Het is een vreemd gevoel. Dat je in één dag zo kunt veranderen. Ineens komt Dieuwertje weer in beeld. Naast haar staat Jelle Woudstra.

'Later vandaag kregen de Pieten klimtraining.

In de klimhal in Groningen.

Klimspecialist Jelle Woudstra.

Hoe hebben de kandidaten het gedaan?'

Jelle Woudstra kijkt strak in de camera.

'Niet slecht, Dieuwertje.

Helemaal niet slecht.

Er zaten een paar aardige klimmers bij.

Maar er zijn ook kandidaten afgevallen.'

'Juist,' zegt Dieuwertje.

'Zullen we even een kijkje nemen?'

Als het programma is afgelopen, gaat Brams mobieltje.

Bram kijkt op het schermpje. Snel drukt hij op oké.

'Hoi, opa!' roept hij.

'Hebt u mij gezien?'

'Jazeker!' zegt opa.

'Tenminste – dat was jij toch?

Die klimgeit met dat oranje jasje?'

'Ja, dat was ik,' zegt Bram trots.

'Ik ging snel, hè?

Kon u me herkennen?'

'Absoluut niet,' zegt opa.

'En Nina zit hier naast me.
Die zag het ook niet.'
'Bram?' klinkt ineens de stem van Nina.
'Wat cool dat je op die klimwand mocht!
En je viel niet eens.'
Bram grinnikt.
'Goeie training op de hooiberg gehad.
Hé, maar hoe was het op school?
Zei meester nog wat?'
'Nee, niks,' zegt Nina.
'Ik heb het briefje van opa gegeven.'

'En meester vroeg niks?' zegt Bram.
'Over die dringende omstandigheden?'
'Nee,' zegt Nina.
'Dus maak je geen zorgen.
Alles gaat goed.'

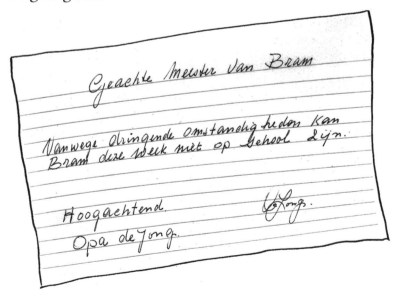

20. Daklopen

Handenwrijvend komt Jelle Woudstra de ontbijtzaal
binnen. De cameraploeg komt achter hem aan.
'Kandidaten!
Hebt u er weer zin in?
We gaan vandaag daklopen.'
'Je weet het, hè?' fluistert Baby Piet.
'Blijf bij mij in de buurt.'
Bram knikt. Snel slikt hij zijn laatste hap brood door.
Daklopen. Leuk. Dat klinkt als echt Pietenwerk.
Jelle gaat de Pieten voor naar een zaal in het hotel. Hij
opent de deur. Een geroezemoes gaat op.
'Vet!' mompelt Bram. 'Het lijkt wel of hij uit een zol-
derraampje kijkt. Overal in de zaal liggen daken.
Schuine daken, platte daken.
Rieten daken, asfaltdaken, daken met dakpannen.
Daken met antennes, schotels, bliksemafleiders.
Daken met vogelnestjes, natte bladeren, lekke ballen.
Tussen de daken in liggen dikke matten.
Jelle Woudstra doet zijn klimgordel om. Hij maakt een
lus in het touw. Behendig gooit hij de lus om een
schoorsteen. Dan trekt hij zichzelf tegen het schuine
dak op.
'Bij daklopen gaat het om balans,' zegt hij als hij boven
is.
Hij doet zijn armen over elkaar.
'Natuurlijk hebben we onze gordel om.
Echt naar beneden storten kan niet.

Maar uitglijden wel.

En dat wil je natuurlijk ook niet.

Zeker niet als je breekbare cadeaus bij je hebt.

Daarom oefenen we verschillende soorten daken.

Zodat u op alles voorbereid bent.

Ik heb een parcours uitgezet.

U begint bij dak 1, daar bij de deur.

U klimt naar boven met een zak met pakjes.

U loopt naar de schoorsteen.

U gooit de pakjes erin.

En u springt naar het volgende dak.

Wees voorzichtig.

Want wie drie keer uitglijdt, kan vertrekken.

Het is verboden te praten.

Pieten werken altijd in stilte.

Is alles duidelijk?'

'Pardon,' zegt Brillieboy.

'Het is allemaal duidelijk genoeg.

Maar ik heb wel een vraag over iets anders.

Is de wettige leeftijd voor Pieten...'

Jelle Woudstra steekt zijn hand op.

'Neem me niet kwalijk, meneer van Pijkeren.

Maar we hebben het nu over daklopen.

Als daar geen vragen over zijn...'

'Ik heb een vraag,' zegt Baby Piet snel.

'Hoe zit het met die breekbare cadeaus?

Gooi je die ook gewoon door de schoorsteen?'

Jelle schudt zijn hoofd.

'Nee, die laat je aan een hengel naar beneden zakken.

Dat oefenen we later nog wel eens.

Iedereen klimgordel om?

Dan gaan we beginnen.

Zoals u ziet zijn de verduisteringsgordijnen dicht.

We doen ook de lichten uit.

Schrik niet als u wind voelt.

Of als het gaat sneeuwen.

We proberen het zo echt mogelijk te maken.'

Ineens is het aardedonker in de zaal. Bram ziet helemaal niets meer. Maar dan gaat aan het plafond een klein, maanvormig lampje aan. Donkere daken en schoorstenen worden zichtbaar. En de zwarte schaduwen van de andere Pieten.

Het is doodstil in de zaal. Bram loopt op de tast naar de tafel met pakjes. Hij stopt zijn jutezak helemaal vol.

Het is dringen bij dak 1. Er staat al een hele rij Pieten klaar. Achter elkaar klimmen ze het dak op.

Eindelijk is Bram aan de beurt. Hij klemt zijn lippen op elkaar. Hij slingert zijn touw een paar keer rond. En dan gooit hij de lus om de schoorsteen heen.

Behendig klimt hij tegen het schuine dak op. Eigenlijk helemaal niet moeilijk. Bij gym doen ze dit ook zo vaak. Alleen dan niet in het donker.

Bovenop het dak blijft hij staan. Hij haalt drie cadeautjes uit zijn zak. Een voor een gooit hij ze door de schoorsteen.

'*Dank u Sinterklaasje,*' klinkt een blikken stem.

En bij het volgende pakje weer.

'*Dank u, Sinterklaasje.*'

'Beetje meer tempo, Brambo!' roept Jelle.

Snel maakt Bram de lus los. Hij knijpt zijn ogen een

beetje dicht. Dan gooit hij. Mis.

'Overnieuw,' zegt Jelle.

Bram mikt nog een keer. Yes! De lus valt precies om de schoorsteen heen. Voetje voor voetje balanceert hij naar de rand van het dak.

Daar blijft hij staan. Met zijn ogen meet hij de afstand. Dan springt hij.

Ja! Hij heeft het gehaald!

Het tweede dak is lastiger. Het is een rieten dak, met een verhoging halverwege. En een antenne vol zijsprieten. Bram wringt zich erlangs. Even wiebelt hij gevaarlijk heen en weer. Maar hij blijft overeind.

Voorzichtig loopt hij verder, zijn armen wijd. Maar dan ineens begint het hard te hagelen.

21. Niks gebroken?

Bram schrikt zo dat hij zijn evenwicht verliest. Hij glijdt
van het dak. Met een smak komt hij op de mat terecht.
Echt pijn doet het niet. Maar hij baalt verschrikkelijk.
Wat een stomme uitglijder. Vanaf nu moet hij nog voor-
zichtiger zijn. Stel je voor dat hij wordt weggestuurd!
Een donkere schim schiet door de lucht. Bram duikt
opzij. Net op tijd. Naast hem klinkt een zachte plof.
'Brambo?' fluistert Baby Piet.
'Gaat het?'
'Wat doe je nou, man?' fluistert Bram geschrokken. Hij
kijkt naar de donkere gestalte die gehurkt naast hem zit.
'Nu ben je gevallen!'
'Niks gevallen,' fluistert Baby Piet.
'Ik ben gesprongen.
Ik wou even weten of het goed ging.
Niks gebroken?'
Bram schudt zijn hoofd.
'Volgens mij niet.'
'Mooi.
Klim gauw weer omhoog.
En laat je niet weer verrassen, oké?'
Bram knikt. Hij springt overeind en klautert omhoog. Het
steile rieten dak is spekglad van de hagel. Maar hij is vast-
beraden. Het moet lukken.
Eindelijk is hij boven. Hij klemt zich vast aan de schoor-
steen. Hij gooit zijn pakjes naar beneden. En dan loopt hij
verder. Naar de rand van het dak.

Hij kijkt goed. Hij zet zich af. En hij springt.

Op handen en voeten komt hij op het volgende dak terecht. Er steekt ineens een harde wind op. Maar dit keer is hij voorbereid. Hij zet zich schrap. En hij blijft overeind.

Dak na dak na dak.

Ook als het begint te sneeuwen. Als de maan ineens uitgaat. Als er een ijzige regen neerklettert.

Al zijn pakjes levert hij veilig af. Eindelijk laat hij zich van het laatste dak afglijden. Het is gelukt!

Een halve minuut later springt Baby Piet naast hem neer.

'Zo,' fluistert hij.

'Dat ging gesmeerd.'

'O ja?' klinkt een zeurderige stem.

'Volgens mij hebben jullie vals gespeeld.

Meneer Woudstra!

U zei toch dat we niet mochten praten?'

Het licht gaat aan. Jelle Woudstra komt aanlopen.

Samen met een cameraman.

'Wat is er aan de hand, hier?'

Brillieboy kijkt bedroefd in de camera.

'Deze twee Pieten moeten helaas afvallen, meneer Woudstra.

Ze hebben vals gespeeld.

Ik hoorde ze praten.

En dat mag niet volgens de regels.

Dat hebt u zelf gezegd.

Niet praten, zei u.

Pieten werken altijd in stilte.
Ik hoor het u nog zeggen.'
Tevreden kijkt hij om zich heen.
Bram voelt de woede in zich opkomen. Hij balt zijn vuisten. Wat is Brillie gemeen.
'Zo zo,' zegt Jelle ernstig.
'Baby Piet.
Wat heb jij hierop te zeggen?'
'Baby kan er niks aan doen!' zegt Bram snel.
'Het is mijn schuld.
Ik was gevallen.
En hij kwam kijken of alles goed was.'
'Klopt dat?' zegt Jelle Woudstra.
'Helemaal,' zegt Baby Piet.
Hij wijst met zijn duim naar Bram.
'Eey man.
Brambo hier is m'n maat.
Ik laat m'n maat niet in de steek.
Als je dat van me vraagt, ben ik hier weg.'
'De regels waren heel duidelijk,' neuzelt Brillieboy.
'Niet praten.
En niet helpen.
Het is hier ieder voor zich.'
Jelle Woudstra steekt zijn hand op.
'Mag ik even, Piet van Pijkeren?
Ik zit in de jury.
Jij niet, als ik het goed heb.
Inderdaad, praten was verboden.
Maar helpen niet.
Stel je voor dat dit een echt dak was geweest.

Dan had Brambo halverwege het huis gebungeld.
Als zoiets gebeurt, help je elkaar.
Brambo en Baby Piet?'
Jelles gezicht staat ernstig. Maar dan ineens glimlacht
hij.
'Ik zie het voor deze keer door de vingers.
Jullie zijn door!'

22. Monsters zijn het

De week vliegt voorbij. Elke ochtend en middag zijn ze
bezig.
Een dartwedstrijd met pepernoten.
Een cursus cadeautjes inpakken bij Intertoys.
Boetseren met marsepein bij banketbakker Rodenburg.
Gedichten maken met de rijmmachine.
Verlanglijstjes invoeren in de computer.
Sinterklaasliedjes zingen. Grappen vertellen.
Een cursus koorddansen bij de circusschool.

Elke dag vallen er meer Pieten af.
Pieten die geen pepernoot raak gooien.
Die zichzelf helemaal in plakband wikkelen.
Die niet kunnen rijmen. Niet met computers kunnen
omgaan. Geen grap kunnen onthouden. Geen koprol
kunnen maken.
Op vrijdagmorgen zijn er nog maar twintig Pieten over.
Bram kan het bijna niet geloven. Dat hij het zover
geschopt heeft!
'Vandaag is het de grote dag,' zegt Maestro Pedro na het
ontbijt.
'Vandaag gaat u naar een school toe.
Een school met echte kinderen.
Weet u, klimmen is belangrijk.
Daklopen is noodzakelijk.
Net als zingen, dansen, rijmen en inpakken.

Maar de kinderen – daar gaat het om.
Zorg dat u over tien minuten in de bus zit.
In de hal staan zakken met strooigoed klaar.'
Maestro Pedro wil de zaal uitlopen. Maar Brillieboy
houdt hem tegen.
'Neem me niet kwalijk,' zegt hij.
'Ik wil me natuurlijk nergens mee bemoeien.
Maar dit lijkt me een slecht idee.'
'Werkelijk?' zegt Maestro Pedro. Hij knarst met zijn
tanden.
'Niet dat ik iets tegen kinderen heb,' zegt Brillie snel.
'Zeker niet.
Ik ben dol op de kleine rakkers.
Maar naar een school toe?
Als Sinterklaas nog niet eens is aangekomen?
Dat kan toch niet?
Wat moeten die kinderen wel niet denken?'
Maestro Pedro zucht.
'Maak je geen zorgen, Van Pijkeren.
Strooi nou maar gewoon met pepernoten.
Dan komt alles goed.'

Bram rent snel naar zijn kamer. Hij wast zijn handen.
Hij poetst zijn tanden. Hij kijkt of zijn pruik goed zit.
En dan rent hij weer naar beneden. Hij is er klaar voor.
Met zijn zak strooigoed klimt hij de bus in. Hij glim-
lacht naar zijn vrienden. Piet Pleistra, Chlorix, Baby
Piet. Kent hij ze echt nog maar een week? Het lijkt al
veel langer.
Snel schuift hij naast Baby Piet in de bank. Brillieboy zit

achter hem. Hij is hardop aan het lezen in zijn handboek.

'Gaat u op bezoek bij kinderen?

Bescherm uzelf dan tegen ziektekiemen.

Vooral kleuters zijn in de regel erg vies.

Snottebellen.

Kleefhanden.

Melksnorren.

Plasbroeken.

Vuile nagels.

Laat ze niet te dichtbij komen.'

Hij kijkt ongerust om zich heen.

'Zouden we ook naar de kleuters moeten?' vraagt hij.

'Ik hoop het niet.

Heeft er iemand mondkapjes bij zich?'

Baby Piet geeft Bram een knipoog.

'Mondkapjes,' grinnikt hij.

'Brillie, de grote kindervriend.'

'Want kleuters zijn niet alleen vies,' gaat Brillieboy verder.

'Ze zijn ook nog eens slecht opgevoed.

Ik zie het elke dag in de supermarkt.

Zeuren om snoep.

Zaniken om speelgoed.

Om mobieltjes.

Om computerspelletjes.

Krijsen als ze hun zin niet krijgen.

Kleuters?

Praat me er niet van.

Monsters zijn het.

Maar goed.

Ik bekijk het maar van de positieve kant.

Als Piet kan ik ze wat manieren bijbrengen.'
Brillieboy wrijft over zijn kin. Hij kijkt erg tevreden.
Alsof hij daar erg veel zin in heeft.

De bus rijdt langs verschillende scholen. Bij elke school
moeten er een paar Pieten uit.
Bram, Piet Pleistra, Baby Piet en Brillie zijn als laatste
aan de beurt.
'Waar gaan we naar toe?' roept Baby Piet.
'Naar Zuidlaren,' roept de buschauffeur over zijn
schouder.
'Zuidláren?' zegt Bram geschrokken.
'Heb je wat tegen Zuidlaren?' vraagt Brillieboy achter-
dochtig.
Bram schudt snel zijn hoofd.
'O nee.
Zuidlaren is oké.
Zuidlaren is prima.
Goeie scholen daar.
En leuke kinderen.'
'Werkelijk?' zegt Brillieboy.
Hij aait over zijn roe.
'Wat toevallig dat je dat weet.'
Bram krijgt een por in zijn zij.
'Kijk uit voor Brillie,' fluistert Baby Piet.
'Zeg niet te veel.'
Bram knikt. Hij klemt zijn lippen op elkaar. Baby Piet
heeft gelijk. Hij moet oppassen met wat hij zegt.
De bus rijdt Zuidlaren binnen. Langs de kerk. Over de
Brink.

Bram voelt zich een beetje misselijk worden. Deze weg kent hij maar al te goed. Zo rijden Nina en hij altijd naar school...

23. Zijn hier nog stoute kinderen?

De bus rijdt het plein van Brams school op. Bram kreunt.
O neeee!
Daar staat Nina. En daar staan zijn vrienden Timo en Rick. En meester. En Geertje. En Meike. Ze juichen en zwaaien. En ze houden zelfgemaakte spandoeken omhoog.

Het zweet breekt Bram uit.
'Ik kan dit niet,' fluistert hij tegen Baby Piet.
'Dit is mijn school.
Straks herkennen ze me!

Ga jij maar zonder mij.
Ik verstop me wel onder de bank.'
Brillieboy steekt zijn hoofd over de leuning.
'Wát zei je?' vraagt hij nieuwsgierig.
'Niks!' zegt Baby Piet.
Hij buigt zich over naar Bram.
'Maak je geen zorgen,' fluistert hij.
'Ze zien echt niet dat jij het bent.
Je bent nu iemand anders.
Je bent Piet Brambo.
Heel Nederland kent je nu zo.
Kom op.
Je kunt het!'
De deuren van de bus zoeven open. Bram haalt diep
adem. Dan staat hij op. Achter Baby Piet aan stapt hij de
bus uit. Een cameraploeg staat al klaar. Net als Maestro
Pedro. Die gaat kijken wie er door mag. En wie er naar
huis moet.
'Kijk!' roept Timo enthousiast.
'Daar heb je Baby Piet!
Babieeeee!'
'En dat is Brambo!' gilt Meike.
'Brambo, Brambo, Brambo!' roepen de kinderen. Ze klappen
erbij.
'Brambo, Brambo, Brambo!'
Bram schrikt. Zie je wel? Ze herkennen hem. Hij is erbij.
Hij zit in de val. Zometeen grijpt meester hem in de
kraag. Zijn hart bonkt in zijn keel. Hij kijkt om zich heen.
Kan hij nog terug?
Te laat. Daar komt meester al aan. Bram deinst achteruit.

Hij struikelt over een steen. Hij valt achterover.

'Piet Brambo!' zegt meester bezorgd. Hij buigt zich naar Bram over.

'U hebt zich toch geen pijn gedaan?'

'Tuurlijk niet!' roept Baby Piet.

Hij komt aanrennen. Met één hand trekt hij Bram overeind.

'Brambo niet hoor.

Die doet zich geen pijn als hij valt.

Kijk maar.

Daar gaat ie weer!'

Hij geeft Bram een duw tegen zijn schouder. Zo hard dat Bram opnieuw tegen de grond gaat. De kinderen op het schoolplein gieren van het lachen.

Bram springt overeind. Verontwaardigd kijkt hij Baby Piet aan.

'Wat doe je, man?' fluistert hij.

'Ik help je!' fluistert Baby terug.

'Kom op!

Sla terug.'

Bram aarzelt geen moment. Hij geeft Baby Piet een flinke duw. Baby Piet maakt een koprol achterover. Midden in de lucht. En daarna begint hij op zijn handen te lopen.

De kinderen klappen.

Bram grijpt in zijn zak. Hij gooit handenvol pepernoten. De kinderen duiken eropaf. Zelfs de meesters en juffen doen mee. Baby Piet heeft gelijk.

Piet Pleistra klimt tegen de regenpijp op. Zonder klimgordel. Goed dat Jelle Woudstra het niet ziet. Die zou haar zo naar huis sturen.

Daar staat ze, bovenop het dak.

'Joehoeee!' roept ze.

En ze laat een regen van pepernoten vallen. Iedereen snelt eropaf.

Brillieboy staat midden op het plein. Hij slaat met zijn roe in zijn hand. En hij kijkt dreigend om zich heen.

'Zijn hier nog stoute kinderen?' roept hij. Hij doet een stap naar voren.

De kleuters gillen. Een paar kleintjes rennen naar hun juf toe. Eén klein jongetje loopt naar Brillie toe.

'Ja, ik!' roept hij. Hij trekt een lange neus.

'Ik ben stout.

Blèlèlèlèlè!

Haha!

Pak me dan.'

Snel rent hij weg. Brillieboy briest van woede. Hij rent achter het jongetje aan. Hij grijpt hem bij zijn jas. En hij tilt hem op aan zijn capuchon. Zodat hij vlak boven de grond blijft spartelen.

'Help!' roept het jongetje.

'Help! Laat me los!'

'Loslaten?' gromt Brillie.

'Dat had je gedacht.

Brutale aap!

Waar heb ik mijn zak?'

Bram ziet het gebeuren. Hij wil het jongetje te hulp schieten. Maar daar is Maestro Pedro al.

'Laat die jongen los.'

'O nee,' zegt Brillie.

'Geen denken aan.

Hij moet eerst sorry zeggen.'

Maestro Pedro hurkt neer. Hij slaat zijn armen om het geschrokken jongetje heen. En hij maakt hem los uit Brillies handen.

'Kijk eens,' zegt hij vriendelijk.

'Wil jij een handje pepernoten?'

'Pépernoten?' roept Brillie.

'Met de roe kan hij krijgen!'

Maestro Pedro schudt zijn hoofd.

'Het spijt me, Van Pijkeren.

Honderd jaar geleden zou je een goede Piet geweest zijn.

Maar de tijden zijn veranderd.

En wij Pieten ook.

Zo ga je niet met kinderen om.

Ik vind het heel jammer.

Maar we moeten afscheid van je nemen.

Tot ziens.'

24. De finale

Het is vrijdagavond, kwart voor negen. Uit de zaal van het Bejaarden Sport Paleis klinkt gelach en geklap. En dan de blije stem van de presentator.

'En, jury. Hoe heeft Baby Piet het er vanaf gebracht?'

'Heel goed,' zegt Maestro Pedro.

'Ik ben onder de indruk.

Hij heeft veel geleerd, deze week.

We zouden hem goed kunnen gebruiken.

Wat vindt u, Sinterklaas?'

'Baby Piet,' klinkt de stem van Sinterklaas.

'Van harte welkom bij de ploeg!

Ga zitten bij de winnaars.'

Een applaus gaat op. Bram slikt. Nu is hij aan de beurt. Zou hij nog even naar de wc kunnen? Hij moet ineens heel nodig. Heel, heel héél nodig. Als hij nou even achter het gordijn langs naar beneden sluipt...

'En dan nu...' klinkt de stem van de presentator.

'De kleinste, maar zeker niet de minste.

De lieveling van het Nederlandse publiek.

Piehiiieeeeet BRAMBOOO!'

De gordijnen gaan open. En Bram staat ineens in het felle licht. Er klinkt applaus. Gefluit. Geroep.

'Brambo, Brambo, Brambo!'

Dat is de stem van opa. Hij krijgt de hele zaal mee.

'Brambo, Brambo, Brambo!'

Bram haalt diep adem. Hij zwaait naar de mensen. Hij maakt een buiging voor Sinterklaas. En hij begint. Met een raplied dat hij ter plekke bedenkt.

'Hé, roep ik, hé!
Ik ben op de tv
Hé, roep ik, hé!
Ik moet naar de wc!
Ik hou het niet meer in
Ik hou het niet meer uit
Dus neem ik een besluit
Het spijt me, beste Sint
Wat u er ook van vindt
Ik zeg retteketet
Ik ga naar het toilet.'

Snel rent hij het podium af. Naar de wc.
Als hij terug komt, zit Sinterklaas nog te lachen.
Gelukkig. Hij is niet boos.
Maar Maestro Pedro wel, zo te zien. Hij kijkt erg
streng.
'Piet Brambo,' zegt hij.
'Dit was een zeer ongebruikelijk optreden.
Kunnen we nu iets serieuzers zien?
Hier is een stapel pakjes.
Die mag u bezorgen bij dak nummer vijf.'
Bram knikt. Snel gespt hij zijn klimgordel om. Hij
grijpt de stapel pakjes. En hij klautert het dak op.
Het wordt stil in de zaal.
Bram balanceert over het dak. Waar is de schoorsteen?
Waarom heeft hij geen zak gekregen? Zo kan hij toch
niets zien? Misschien als hij zich half draait...
Gevaarlijk wiebelt hij heen en weer. Uit de zaal klinkt
geschrokken geroezemoes.

En dan ineens – het gedreun van een deur. Gestamp. En een boze stem.

'Haal die Piet van het dak!

Het is een bedrieger!'

Van schrik laat Bram een pakje vallen. Bijna gaat hij er zelf achteraan. Hij weet zich nog net staande te houden. Zijn hart bonst in zijn keel.

Brillieboy? Wat doet die hier?

En wat is dat?

Hij heeft twee politieagenten bij zich.

'Zien jullie het nu zelf?' roept Brillie.

'Dat kleine Snertpietje, daar op het dak?

Dat is toch gewoon een kind?

Heeft de hele week gespijbeld, meneertje.

De hele week.

Niks geleerd.

Ik zou hem oppakken als ik u was.'

De twee politieagenten komen op Bram af.

Bram vergeet helemaal dat hij bovenop een dak staat. Hij deinst achteruit.

BONK!

Daar ligt hij. Onderaan het dak. Op de harde grond. Hij kreunt. Niet van de pijn. Maar van boosheid en teleurstelling.

In de zaal is een grote chaos uitgebroken. Opa en een andere bejaarde houden de twee agenten tegen.

'Doe effe normaal, jullie,' roept opa.

'Jullie gaan toch zeker geen Piet arresteren?

Hebben jullie niks beters te doen?'

'Precies!' zegt de andere bejaarde.

'Hebben we eindelijk eens wat te lachen.

Komen jullie alles weer bederven.

Wat heeft dat Pietje verkeerd gedaan?'

'En áls jullie iemand willen arresteren,' zegt opa,

'Neem mij dan maar.

Het is allemaal mijn schuld.

Ik heb deze jongen overgehaald om Piet te worden.

Dus stop mij maar in de gevangenis.'

De agenten proberen opa aan de kant te duwen. Maar er springen meer bejaarden op. Ze komen allemaal naar het gangpad toe. Met elkaar versperren ze de agenten de weg.

'Hallo,' klinkt de stem van Sint Nicolaas uit de luidspreker.

'Hallo hallo.

HALLOOHOO!

Dames en heren.

Als ik ook even wat mag zeggen?

Kunt u allemaal weer gaan zitten?

Ja, de politieagenten ook, ja.

Weest u niet bang.

De verdachte gaat er niet vandoor.

Dat beloof ik u.'

Opa aarzelt heel even. Dan gaat hij zitten. De andere bejaarden volgen zijn voorbeeld. De twee agenten gaan op de voorste rij zitten. Samen met Brillieboy.

Sinterklaas leunt een beetje voorover. Hij kijkt Brillieboy aan over zijn bril.

'Henkie?' zegt hij.

'Henkie van Pijkeren?'

Brillieboy gaat snel staan.

'Ja, Sinterklaas.

Dat ben ik.'

'Luister goed, Henkie,' zegt Sint Nicolaas.

'Ik begrijp dat je graag Piet had willen worden.

Maar dat zat er helaas niet in.

We hebben allemaal onze zwakke kanten.

Jij ook.

Zoals ik duidelijk heb gezien, deze week.

Niet dat het erg is.

Jij bent weer goed in andere dingen.'

'Maar Sinterklaas!' protesteert Brillieboy.

'U weet niet –

Deze Piet is...'

Sint Nicolaas steekt zijn hand omhoog.

'Genoeg, Henkie,' zegt hij streng.

'Genoeg.'

25. Kinderarbeid

'Piet Brambo,' zegt Sinterklaas.
'Kom eens hier.'
Bram komt achter het dak vandaan. Hij loopt naar de
jury toe. Zijn hart bonst in zijn keel. Zou Sinterklaas
erg boos zijn?
'Brambo,' zegt Sint Nicolaas.
'Probeer me maar niets wijs te maken.
Ik weet dat je nog geen zestien bent.'
Bram slaat zijn ogen neer.
'Nee, Sinterklaas,' zegt hij zacht.
'Kom kom,' zegt Sinterklaas opgewekt.
'Daar hoef je niet zo somber bij te kijken.
Laat ik je één ding vertellen.
Iets wat ik lang geleden geleerd heb.
Leeftijd zegt niets als het om Pietenwerk gaat.
Helemaal niets.'
Een van de agenten schraapt zijn keel.
'Neemt u mij niet kwalijk, Sint Nicolaas.'
'Ik neem jou niets kwalijk, beste jongen,' zegt
Sinterklaas.
'Jij doet ook maar je plicht.
Wat wou je zeggen?'
'De Nederlandse wet verbiedt kinderarbeid,' zegt de
agent.
Sint Nicolaas glimlacht.
'Dat kan wel zijn.
Maar ik neem deze jongen mee naar *Spanje*.'

'Dat is ontvoering,' zegt de andere agent.

'En dat is óók verboden.'

'Ja!' roept Brillieboy.

'Streng verboden!

Daar staan ZWARE straffen op.'

'Kom kom,' zegt Sinterklaas.

'Ik neem hem niet mee in de zak.

Hij gaat mee uit eigen vrije wil.

Niet waar, Brambo?'

Bram slikt. Zijn mond voelt droog aan. Nu moet hij het zeggen. Dat hij helemaal niet mee wil. Dat hij gewoon thuis wil blijven wonen. Hij opent zijn mond. Maar er komt geen geluid uit. Help!

En Sinterklaas merkt er niets van. Die gaat gewoon verder.

'Brambo heeft laten zien dat hij een echte Piet is.

Hij is grappig.

Hij is klunzig.

Hij kan klimmen.

Hij kan goed met kinderen omgaan.

Precies wat ik zoek in een Piet.

Piet Brambo – '

Sinterklaas kijkt Bram glimlachend aan.

'Wat mij betreft ben je aangenomen.'

Een daverend applaus barst los. De bejaarden juichen.

Kwieke Mieke fluit op haar vingers. Opa maakt een rondedansje.

Bram slikt. Hij schraapt zijn keel. Eindelijk. Er komt weer geluid uit zijn mond.

'Eh, Sinterklaas?'

Sint Nicolaas legt een hand achter zijn oor.
'Zei je wat, Brambo?'
'Ik eh... ik wil toch maar geen Piet worden.'
'Wát zeg je?'

Bram zet zijn handen aan zijn mond.

'IK WIL GEEN PIET WORDEN!'

'Pardon?'

'IK WÍL GEEN PIET WORDEN!!'

Het is ineens stil in de zaal.

'Sorry, Brambo,' zegt Sinterklaas.

'Ik ben aan een gehoorapparaat toe, denk ik.

Ik dacht heel even dat je zei...'

Bram kucht.

'Dat zei ik ook.

Ik bedoel – het lijkt me wel heel leuk om Piet te worden.

En ik zóu het wel willen.

Maar dan als ik wat groter ben.

Kan dat ook?

Dat ik nog een paar jaar wacht?

Want anders mis ik mijn vader en moeder zo.

En m'n vrienden.

Enne – en school.'

Sinterklaas en Maestro Pedro kijken elkaar aan. Maestro
Pedro steekt zijn handen in de lucht.

'Nu terugkrabbelen?

Dat kan toch niet, Sint Nicolaas?

Zeg nou zelf!

Het is nu te laat.

Vind ik hoor.'

'Tja,' zegt Sinterklaas.

'Ik moet toegeven dat het jammer is.

Erg jammer.'

'Jámmer?' roept Maestro Pedro.

'Het is verschrikkelijk.

Iedereen uit Nederland kent Brambo nu.

De kinderen verwachten hem bij de intocht.

Het zou een ramp zijn als hij er niet bij was.'

Sinterklaas strijkt over zijn baard.

'Wat denk je, Brambo?

Zou dat te regelen zijn?

Dat je er bij bent met de intocht?

We leggen aan in Kampen, dit jaar.

Ik wil je niet dwingen, natuurlijk.

Maar het zou wel erg leuk zijn.'

Bram aarzelt. Zouden papa en mama dat wel goed vinden? Hij is natuurlijk ook al een week van school weggebleven...

Opa springt naar voren. Hij klimt het podium op.

'Geen probleem, Sinterklaas.

Geen énkel probleem.

Ik zorg ervoor dat deze Piet bij de intocht is.'

26. Intocht

De scheepshoorn toetert. Op de boot wordt hard gewerkt. Zakken met strooigoed worden aan dek gebracht. Manden met pakjes worden klaargezet. Amerigo krijgt een laatste borstelbeurt. Piet Afonso is de baard van Sinterklaas aan het kammen.

Piet Chlorix balanceert op de railing. Ze staat op één been. Met haar andere been naar achter. Ze lijkt wel een acrobaat.

Baby Piet loopt op zijn handen over het dek. Dat gaat hij in Kampen straks ook doen. Op het dak van een huis.

Bram mag dan met hem mee. Hij mag alleen niet op zijn handen lopen. Dat vinden papa en mama te gevaarlijk.

Niet dat Bram dat erg vindt. Hij is al lang blij dat hij erbij mag zijn.

Papa en mama waren nogal boos geweest toen hij thuis-kwam. Op hem én op opa.

Hoe ze het in hun hoofd hadden gehaald.

Of ze gek geworden waren.

Zomaar spijbelen van school.

Zomaar in een hotel gaan zitten.

Zomaar jezelf in een andere kleur laten verven.

Zomaar tegen muren opklimmen.

En over daken lopen.

Levensgevaarlijk.

Hadden ze Bram soms niet opgevoed?

En had opa soms zijn verstand verloren?

Er had wel ik-weet-niet-wat kunnen gebeuren.

Papa ging maar door. Tot opa zei:

'Ik snap wel dat je boos bent, Evert.

Maar – '

'Boos?' gromde papa.

'Woest ben ik!

Woest!'

'Oké, oké,' gaf opa toe.

'Woest.

Maar je kunt het vast ook wel een beetje begrijpen.

Weet je nog, vijfentwintig jaar geleden?'

'Ja ja ja,' zei papa nors.

'Dat weet ik nog.'

'Wat dan, pap?' vroeg Bram nieuwsgierig.

'Wat was er, vijfentwintig jaar geleden?'

'Wat?' zei opa.

'Heb je de kinderen dat nooit verteld, Evert?

Hoe jij in de zak gekropen bent?

Omdat je zo graag mee wilde naar Spanje?'

'Echt?'

Bram kon het bijna niet geloven. Waarom heeft papa daar nooit iets over verteld?

'Ze ontdekten je vader pas op volle zee.

Tjonge, wat een toestand.

De kustwacht kwam er nog aan te pas.

Die heeft hem opgepikt en teruggebracht.'

'Echt waar, pap?' vroeg Nina.

'Dat is zó cool!'

Papa kuchte. En krabde zich achter zijn oor.

'Jullie hoeven ook niet alles te weten.

Dat brengt jullie maar op ideeën.

Oké, oké.

Bram mag mee met de intocht.

Maar denk maar niet dat je onder je straf uitkomt.

Eén maand huisarrest.

En al je schoolwerk inhalen, natuurlijk.'

'Piet Brambo!' klinkt een stem.

Bram zet zijn zak met strooigoed neer. 'Ja, Sinterklaas?'

'Kun jij even naar boven klimmen?

Kijken of je Kampen al ziet liggen?'

'Ja, Sinterklaas!'

'Pas op, Brambo!' roept Baby Piet.

'Wees voorzichtig.

Houd je goed vast.'

Bram grinnikt. Die Baby Piet. Jammer dat hij naar Spanje gaat. Hij zal hem missen.

Bram grijpt de touwladder vast. Snel klimt hij naar boven. Het is koud. De wind giert om zijn oren. De regen slaat in zijn gezicht. Het is goed dat hij klimtraining gehad heeft.

'Zie je al wat, Brambo?' roept Baby Piet van beneden.

Bram knijpt zijn ogen een beetje dicht. Is dat Kampen, daar in de verte? Of verbeeldt hij het zich maar? Het is haast niet te zien met die regen.

Een paar minuten later weet hij het zeker.

'Daar!' roept hij.

'De torens!

Ik zie de torens van Kampen!'

'Volle kracht vooruit!' galmt Sinterklaas.

'We zijn er bijna, mannen!'

Van over het water klinken flarden gezang.

'O, kom er eens kijken
Wat ik in mijn schoentje vind…'

De scheepshoorn toetert. Het gezang wordt steeds luider. Bram ziet vlaggetjes. Zwaaiende mensen. Schoolkinderen met Pietenmutsen en mijters. Peuters bij hun vader op de schouders. En daar, de burgemeester. Zijn zilveren ketting glanst in de regen.

'Een pop met krullen in het haar,
Een snoezig jurkje, kant en klaar…

De burgemeester heeft een microfoon gepakt.

'Welkom, welkom Sint Nicolaas!' schalt zijn stem over het water.

'Welkom Sint Nicolaas.
Welkom Pieten, oude en nieuwe.
Welkom in het mooie Kampen.

Vol verwachting klopt ons hart.
Leg de boot aan.
En stap van boord.
Laat het feest beginnen!'